CB031507

Joaquim Manuel de Macedo.

A Nebulosa

Clássicos Ateliê

Coordenação

José de Paula Ramos Jr.

Ivan Teixeira (*in memoriam*)

A Nebulosa

Joaquim Manuel de Macedo

Apresentação
Ângela Maria Gonçalves da Costa

Estabelecimento de Texto e Notas
Ângela Maria Gonçalves da Costa
José de Paula Ramos Jr.

Ilustrações
Kaio Romero

Ateliê Editorial

Dados Internacionais de Catalogação na Publicação (CIP)
(Câmara Brasileira do Livro, SP, Brasil)

Macedo, Joaquim Manuel de, 1820-1882
A Nebulosa / Joaquim Manuel de Macedo; apresentação Ângela Maria Gonçalves da Costa; estabelecimento de texto e notas Ângela Maria Gonçalves da Costa e José de Paula Ramos Jr.; ilustrações Kaio Romero. – Cotia, SP: Ateliê Editorial, 2018. – (Coleção Clássicos Ateliê)

Bibliografia.
ISBN 978-85-7480-782-9

1. Macedo, Joaquim Manuel de, 1820-1882 – Crítica e interpretação 2. Poemas 3. Poesia brasileira – História e crítica 4. Romantismo I. Costa, Ângela Maria Gonçalves da. II. Ramos Junior, José de Paula. III. Romero, Kaio. IV. Título. V. Série.

18-18050 CDD-869.1

Índices para catálogo sistemático:
1. Poesia romântica: Literatura brasileira:
História e crítica 869.1

Maria Paula C. Riyuzo – Bibliotecária – CRB-8/7639

ATELIÊ EDITORIAL
Estrada da Aldeia de Carapicuíba, 897
06709-300 – Cotia – SP – Brasil
Tels.: (11) 4612-9666 | 4702-5915
www.atelie.com.br | contato@atelie.com.br
facebook.com/atelieeditorial | blog.atelie.com.br
2018

Foi feito depósito legal
Impresso no Brasil

Sumário

A Nebulosa, o Poema Sem Lugar

Ângela Maria Gonçalves da Costa

> *No dia em que forem restabelecidos, em boas edições, os textos de nossos romancistas e poetas, principalmente da fase romântica, a crítica literária terá instrumentos fidedignos para a sua elaboração.*
>
> Bella Jozef

"*A Nebulosa* é um dos mais belos poemas dos tempos modernos."[1] O periódico *Correio Mercantil* assim apresentava o poema de Joaquim Manuel de Macedo quando publicado, em 1857. Recebido por trinta e quatro matérias na imprensa, atravessou o século e avançou o seguinte como obra de valor, merecendo da crítica a afirmação de que "*A Nebulosa* abre as portas de um mundo romântico, onde poucos se moveram tão bem" e é, "talvez, o melhor poema-romance do romantismo"[2]. Tal reconhecimento nos faria pensar que a obra seria conhecida, pelo menos, nos círculos restritos de estudiosos da literatura. No entanto, atualmente, ela parece ter caído no esquecimento até mesmo dos especialistas.

1. *Correio Mercantil*, 18/10/1857.

2. Antonio Candido, *Formação da Literatura Brasileira: Momentos Decisivos*, 1ª ed., São Paulo, Livraria Martins Editora, 1959.

O interesse em repor em circulação o poema *A Nebulosa*, de Joaquim Manuel de Macedo, surgiu com a constatação de que, a despeito da boa reputação, há um século e meio não era reeditado. Algumas obras esquecidas, do século XVIII, por exemplo, voltaram em boas edições, graças ao interesse de alguns pesquisadores e de algumas editoras, principalmente universitárias. E por que *A Nebulosa* foi abandonada nas brumas? Basílio de Magalhães acreditava, em 1926, que a obra fora deixada de lado não porque pertencesse "a uma escola já morta, mas principalmente por ser uma obra demasiado longa, com seis cantos e um epílogo, num total de 280 páginas"[3].

Todavia, entre seus contemporâneos, o poema foi considerado como uma obra-prima. Sua fama atravessou o Atlântico e foi comentado em Lisboa, por Francisco Inocêncio da Silva, no seu *Dicionário Bibliográfico Português*, de 1858, um ano após a publicação de *A Nebulosa*. Ferdinand Wolf[4], no seu *O Brasil Literário*, de 1863, dedicou-lhe onze páginas, enquanto não se ocupou de mais de vinte linhas para *A Moreninha* e o teatro cômico de Macedo, parte da obra do autor que sobrevive até hoje. O poema causou sensação, foi prestigiado, alcançou um sucesso extraordinário na época da publicação e nos anos imediatamente posteriores, mas acabou caindo no esquecimento, no "ossuário do romantismo". O poema de Macedo foi muito comentado no seu próprio século, mas, no seguinte, os comentários vão se tornando mais esparsos até que desaparecem. E não há publicação de estudo aprofundado sobre *A Nebulosa*.

3. Basílio de Magalhães, *Bernardo Guimarães: Esboço Biográfico e Crítico*, Rio de Janeiro, Tipografia do Anuário do Brasil, 1926, p. 221.

4. Ferdinand Wolf, *O Brasil Literário*, tradução, prefácio e notas de Jamil Almansur Haddad, São Paulo, Companhia Editora Nacional, 1955. A primeira edição da obra, em francês, foi publicada em 1863.

Esse esquecimento, de fato, já se evidenciava no final do século XIX. O último comentário de fôlego sobre o poema é datado de 1863, na mencionada crítica de Ferdinand Wolf. Depois disso, temos um longo silêncio, até 1882, ano da morte do autor. Vinte e cinco anos após a sua primeira edição, *A Nebulosa* ainda era vista como obra de valor. Depois de relembrada na morte do autor, a obra passa a ser citada muito raramente, mas por críticos reputados que reconheceram o seu valor. No entanto, o livro desapareceu das estantes de livrarias. Após um século e meio de esquecimento, *A Nebulosa* é reposta em circulação, para que a crítica e o leitor contemporâneos possam redescobrir uma das grandes produções românticas brasileiras.

A Nebulosa: *Por Dentro da Obra*

O poema *A Nebulosa*, como foi dito, é constituído de seis cantos e um epílogo, na maior parte constituídos de versos decassílabos soltos. Trata-se de um poema narrativo e dramático que contém a história de amor e morte, melancolia, solidão e desespero de um homem perante uma natureza sempre indiferente à sua angústia. Grandes rochedos, abismos, tempestades e brumas contracenam com personagens pálidas como a neve, com seres fantásticos, em um cenário isolado, inacessível e, por vezes, tétrico, como as ruínas de um cemitério ou o cume de um alto rochedo. Esse canto fúnebre nos remete a uma existência além da vida, porém mais bela e essencial, um tema caro ao romantismo.

A Nebulosa é a história de um amor impossível. O Trovador ama Peregrina, a mulher que não ama. No leito de morte da mãe, a moça jurara jamais amar. "Jamais" é o mote de todo o poema.

A história se passa num lugar indefinido, um "não lugar", num tempo também indefinido, e é narrada num tom de fantasia e sonho. O poema é permeado por longas descrições, diálogos e monólogos de cinco personagens: Trovador, Peregrina, Doida, Mãe e Nebulosa. Exceto a feiticeira Nebulosa, que dá título ao poema e só aparece no início para prenunciar as desventuras do Trovador, nenhuma outra tem nome próprio, mas todas, exceto a Mãe, apresentam fragilidades morais.

O Trovador se esquece de seus deveres filiais para, egocentricamente, dedicar-se a um amor impossível durante mais de dez anos; a Peregrina carrega consigo a imagem da irmã maculada, "desvirtuada e enganada pelos homens", e, presa a um juramento, não tem misericórdia pelo Trovador; a Doida traz em sua testa a mancha demoníaca transmitida pela Nebulosa, a feiticeira, que tem seu poder relacionado ao mal. Apenas a Mãe projeta uma imagem imaculada, em sua luta atroz e desesperada para resgatar o filho que a abandonara. No final, não há redenção. Enquanto percebemos incomunicabilidade entre as personagens e seus sentimentos, sobra comunicabilidade entre os elementos e os seres, a vida e a morte, a dor e a paixão.

O enredo de *A Nebulosa* parte de uma lenda, conhecida pelos marinheiros, sobre uma mulher muito bela – fada ou feiticeira – que aparecia à noite sobre um penhasco e encantava os homens com seu canto, levando-os a se precipitarem no mar[5]. Essa fada só aparecia à noite e, ao raiar do dia, desa-

5. A lenda apresenta alguma semelhança com o mito das sereias que cativam os homens com seu canto na *Odisseia*, de Homero. Também nos remete ao mito das ondinas, mulheres sobrenaturais que conduziam os homens para as suas cavernas no fundo do mar, para lá viverem pela eternidade. Cf. Friedrich De La Motte-Fouqué, *Ondina*, tradução de Karin Volobuef, São Paulo, Ed. Landy, 2006.

parecia como se fosse feita de nuvens, sendo por isso chamada de Nebulosa no poema de Macedo. Um jovem, chamado de Trovador, porque é poeta que canta suas dores de amor acompanhado de uma harpa, é advertido pelos marinheiros sobre a Nebulosa, mas não lhes dá ouvido e sobe ao penhasco. Surge, então, a Doida. Esta se diz descendente da Nebulosa e traz na testa uma marca de fogo, que indica a sua condição de fada. Segundo ela, as fadas teriam poder para tudo, exceto sanar os sofrimentos de amor. Elas mesmas viveriam uma vida de tormentos por causa da paixão, mas, quando mortas, ganhariam a felicidade eterna no fundo do mar, como as ondinas. A Doida declara ao Trovador que seu destino está selado e vinculado ao dele.

Ele, por sua vez, relata a ela os seus sofrimentos acumulados em vários anos de devoção ao amor não correspondido pela Peregrina. Tanto a mãe quanto a irmã da Peregrina haviam sido vítimas da sedução dos homens, por isso foram amaldiçoadas e tiveram que se retirar da sociedade, vivendo numa floresta. Às súplicas do Trovador, Peregrina sempre responde com um "Jamais!", acrescentando que seu amor estaria voltado apenas para Deus e para a natureza.

O Trovador, então, recorre à Doida, pedindo-lhe que, como feiticeira e herdeira da Nebulosa, preparasse um filtro do amor. Ela responde que tal tarefa é impossível de ser realizada, até para quem tem poderes mágicos. O Trovador, desesperado, decide se matar naquela mesma noite, mas antes vai até o cemitério visitar o túmulo de seu pai. É ali que ele reencontra a sua Mãe, depois de dez anos sem vê-la.

A Mãe pede ao filho que tirasse aquele amor infeliz de seu coração e que voltasse para ela. Ele responde que seria tarde demais, que morreria à meia-noite daquele dia. Numa tentativa desesperada, a Mãe corre até a Peregrina e lhe implora que retribua o amor do Trovador. A Peregrina, desincumbida de sua promessa por uma ordem de Deus, decide ceder aos apelos da Mãe. As duas correm até a Rocha Negra, local de onde o Trovador afirmara que se jogaria. Nesse meio tempo, a Doida se encontrara com o Trovador e declarara seu amor por ele, que lamenta por não poder corresponder. Ambos se beijam e se atiram do penhasco, caindo no mar. A Mãe e a Peregrina chegam tarde. Surge uma tempestade, e uma nuvem negra envolve o penhasco: "Tudo é trevas... horror... borrasca, e morte"[6]. Mas a tragédia ainda não terminara. A Mãe, não aguentando tanto sofrimento, falece sem forças. A Peregrina, amaldiçoada pela Mãe, morre ao cair de encontro à harpa do Trovador.

Lugar Histórico, Cultural e Estético

O livro, com o poema completo, foi publicado em 1857 pela tipografia J. Villeneuve & Cia., no Rio de Janeiro. No mesmo ano, surgem também *A Confederação dos Tamoios*, de Gonçalves de Magalhães, e *Os Timbiras*, de Gonçalves Dias, obras que têm em comum a temática indianista, em favor da proposta de construção de uma literatura nacional brasileira. *A Nebulosa* destoava, pela ausência do caráter nacional – ao menos da maneira como se compreendia tal caráter naquele momento.

Mesmo sabendo que o texto se legitima pelo imaginário, não sendo necessário falar de palmeira e sabiá para ter cor local, como bem disse o romântico Álvares de Azevedo[7],

6. Joaquim Manuel de Macedo, *A Nebulosa*, "Epílogo", estrofe LVII, verso 6.

7. Álvares de Azevedo, *Macário*. Considerado o menos pitoresco de todos os poetas românticos, o mais obcecado pelo seu drama íntimo e pe-

tudo no poema soa como estrangeiro, embora não se possa identificar de que lugar se trata[8]. A obra tem algo de bruma nórdica e nenhuma cor local brasileira nem na matéria, nem na paisagem, nem na linguagem, filiando-se mais a modelos de autores ingleses como Keats, Coleridge e Wordsworth, conhecidos como "poetas do Lago". Todavia, é curioso o fato de *A Nebulosa* surgir exatamente em 1857, mesmo ano da publicação de *O Guarani*, de José de Alencar.

O poema-romance de Macedo talvez possa ser lido como resposta à acirrada polêmica entre Alencar e Gonçalves de Magalhães, com a participação do próprio imperador, Dom

los modelos europeus, Álvares de Azevedo, nessa obra, critica a falta de consciência patriótica do autor, pela ausência de cor local; por outro lado, censura a artificialidade do indianismo, dizendo que "tudo isso lhes veio à mente lendo as páginas de algum viajante que esqueceu-se talvez de contar que nos mangues e nas águas do Amazonas e do Orinoco há mais mosquitos e sezões do que inspiração: que na floresta há mais insetos repulsivos, répteis imundos, que a pele furta-cor do tigre não tem o perfume das flores – que tudo isto é sublime nos livros, mas é soberanamente desagradável na realidade".

8. Um crítico do *Diário do Rio de Janeiro*, em 30/09/1857, assim comenta *A Nebulosa*: "É um belo livro de versos, e ninguém pode negar que é um poema; é um poema fantástico de assunto impalpável, cuja cor, cujo perfume tão essencial em um poema desse gênero, é brilhante e vivo, e lembram a escola romântica antiga. Os exigentes poderão censurar n'*A Nebulosa* a falta de atualidade. Mas isto, quanto a mim, é uma censura que toca o autor, mas que deixa o poema intacto. Na verdade a atualidade, em matéria de poesia, é, quanto a mim, ainda a escola de Byron e de Goethe, continuada por Musset, Henri Heine e Victor Hugo. Ainda não temos uma literatura nossa; educamo-nos com a literatura europeia, acompanhamo-la; enfim, o fato incontestável é que o nosso gosto atual em literatura é o da escola dominante na Europa. Nem podia ser de outro modo. É certo que hoje essa escola dominante não é a pura escola byroniana, mas um pouco modificada por Chateaubriand. Não se pode, porém, dizer que *A Nebulosa* pertence a essa escola, mas sim à escola fantástica alemã. *A Nebulosa* é um conto de Hoffman, um poema de lirismo germânico, mas não brasileiro".

Pedro II, em torno do projeto de nacionalização da literatura e da possibilidade da elaboração de uma obra épica nacional. É, portanto, importante refletir por que *A Nebulosa* foi bem recebida pela crítica e pelo leitor brasileiro, pois vinha na contramão do debate que se colocava como central no momento político, cultural e literário da nação. Isso pressupõe uma concepção de literatura que abrange posturas distintas e mesmo contraditórias, pois seguir os modelos europeus era considerado a um só tempo servilismo e exemplaridade. A própria questão da identidade nacional foi também importada, constituindo-se em parte de uma discussão maior, ou seja, o projeto de construção das identidades nacionais que ocupou grande parte do pensamento no final do século XVIII e em todo o século XIX na Europa e na América.

Identificar as origens de uma nação no processo de diferenciação entre um povo e outro foi o primeiro passo na procura dessas identidades. Mais que demarcar territórios, fronteiras, línguas, paisagens, foi no campo, nos costumes do povo, nas suas tradições, na música, na poesia, no seu modo de vida rústica, que se procurou diferenciar uma nação de outra.

Ernest Renan dizia que o que faz a nação é "um legado rico de recordações" e que o "culto dos antepassados é, de entre todos, o mais legítimo; foram os antepassados que nos fizeram como somos"[9]. Assim, a vida das nações europeias começa com a busca do caminho de acesso às origens, buscadas na cultura popular. Herder e outros intelectuais alemães já haviam desenvolvido, nessa época, o conceito de cultura do povo. A invenção das nações coincide, então,

9. Ernest Renan, "Qu'est-ce qu'une nation?". Citado por Anne-Marie Thiesse, *A Criação das Identidades Nacionais*, tradução de Sandra Silva, Lisboa, Tilgráfica, 2000, p. 16.

com uma intensa criação de gêneros literários ou correntes artísticas e de peculiares formas de expressão. Isto foi percebido por Madame de Staël quando indagou sobre o papel da cultura na constituição de um povo e de sua identidade nacional. Para chegar ao conceito de literatura de um povo ela considera duas linhas: primeiro, através da reflexão geral sobre o tema da literatura nacional e, segundo, recolhendo a produção de textos literários como forma de identificar essas culturas. Para tanto, Staël observou que, apesar das atividades criativas dos povos serem limitadas por fronteiras, ainda assim elas mantêm uma troca permanente. No entanto, a necessidade de redefinir as relações entre universal e particular acabou produzindo uma mudança cultural. O nacional passou a ser visto como princípio criador da modernidade. Essa mudança se deu graças ao aparecimento da epopeia ossiânica, divisor de águas entre os antigos e os modernos. Se a Antiguidade greco-romana era a fonte privilegiada das culturas humanísticas e do classicismo do século XVIII, Ossian vinha para mostrar que existiam outras tradições fundadoras das culturas europeias e que essas podiam ser encontradas em vestígios orais ou manuscritos.

A modernidade passa a ser legitimada por uma fonte antiga, tão venerável quanto a do classicismo. A natureza atormentada e enevoada dos cantos de Fingal e a sensibilidade elegíaca dos seus heróis escancaram as fontes "bárbaras" das culturas europeias que o classicismo havia ocultado. Desta forma, definir as marcas de diferenciação entre as nações seria um trabalho de investigação das tradições do povo. Os autores, por sua vez, passaram a apresentar em suas obras o que seria o resumo e emblema da nação, esse caráter nacional, e assim o fizeram, inclusive no Brasil.

Antonio Candido observou que os românticos tinham que encontrar seu lugar, considerando uma realidade local mal conhecida e a atração pelos modelos europeus. Desta forma, ao lado do nacionalismo,

> [...] há no romantismo a miragem da Europa: o Norte brumoso, a Espanha, sobretudo a Itália, vestíbulo do Oriente byroniano. [...] Em Álvares de Azevedo, Castro Alves, outros menores, perpassam, em contraposição "às belas filhas do país do Sul", as italianas, brancas e hieráticas, ou dementes de paixão, encarnando as necessidades de sonho e fuga, libertação e triunfo dos sentidos, transplantadas, como flores raras, das páginas de Byron para os jardins da imaginação tropical[10].

É fato que o romantismo brasileiro vai beber na fonte byroniana e reproduzir aqui o gosto pelo gótico, pelo satânico, pelo amor impossível, pela mulher idealizada, pela morte, como fez Álvares de Azevedo. Porém, o "norte brumoso" mirado por Macedo em *A Nebulosa* vai muito além da Itália, chega até as terras altas da Escócia, as *Highlands*.

A tragicidade, o horror, o sentimentalismo exacerbado dos indivíduos, o desespero exagerado das ações, a descrição e construção do cenário e das personagens, que não são de lugar nenhum nem se assemelham a ninguém, a posição ativa da mulher que tem o poder de decisão, tudo isso somado a uma narrativa heroica, faz com que pensemos numa tradição que remete a um tempo ou pelo menos a um estilo de narrativa própria de um povo que elevava as ações de um simples indivíduo a um feito homérico.

Estamos a falar de Ossian ou, melhor, de James Macpherson, "tradutor" dos poemas ossiânicos. Ossian causou entusiasmo no final do século XVIII e na primeira metade do XIX. Autores como Diderot, Chateaubriand, Lamartine e Musset,

10. Antonio Candido, *Formação da Literatura Brasileira*, 1959, p. 16, v.2.

além de Bonaparte, na França; Cesarotti, Leopardi, Foscoli e Alfieri, na Itália; Goethe e Herder, na Alemanha; Byron, Blake e Coleridge, na Inglaterra, apenas para ficar nos mais conhecidos, sofreram inegável influência desse que chamavam de "a grande força do Norte, onde todos os bardos se embriagam de melancolia" (Chateaubriand) e cuja poesia seduz pela "simplicidade, força e dramaticidade" (Diderot). Todos eles disseminaram o ossianismo e o sentimentalismo para uma época já cansada de tanto racionalismo iluminista.

A Nebulosa possui inspiração nitidamente ossiânica, com suas brumas, crepúsculos e mistérios. O texto ossiânico é rico em metáforas, embora simples no vocabulário e na sintaxe. As interpelações constantes aos elementos da natureza – astros, montanhas, abismos, tempestades – são uma tentativa de cumplicidade com os anseios e sofrimentos dos protagonistas dos poemas, fato que também ocorre em *A Nebulosa*, até mesmo quando o Trovador reclama da impiedosa natureza que se apresenta tranquila enquanto o bardo é só desespero. Aliás, esse vem a ser um tema romântico por excelência, como o encontrado no fragmento abaixo:

> Oh natureza! minha dor insultas!
> Na tua placidez leio um sarcasmo;
> Abomino-te assim, amo-te horrível.
> Que quer dizer um mar que não rebrame,
> Uma terra que nada em luz de encantos,
> Um céu que tormentoso não ribomba,
> Quando no coração temos o inferno?...
> Oh!... mil vezes o horror e a tempestade![11]

11. "Canto I", *A Nebulosa*.

Em Ossian, as narrativas de guerra se mesclam com relatos romanescos, em que casais de amantes veem-se envolvidos em trágicas aventuras ou são vítimas de um destino cruel. Nos três ciclos da literatura céltica (ciclo mitológico, ciclo de Ulster e ciclo ossiânico), o amor é o tema constante e recorrente, o *leitmotiv* de vários fragmentos narrativos carregados de lirismo. Porém, o amor cantado não é abandono sensual nem doçura sentimental, mas, sim, uma fatalidade inelutável cuja força conduz a um final cruel, caracterizado pelo binômio amor-morte, como acontece no poema de Macedo.

Em *A Nebulosa*, Ferdinand Wolf observou que o traço dominante é o contraste entre o efeito produzido pela paixão sobre o homem, no caso o Trovador, que é a personificação do amor desprezado, e o egoísmo do orgulho ferido. Esse mesmo sentimento, age sobre o coração de uma mulher, que se traduz na resignação e devoção que chegam à loucura, como é o caso da Doida. É interessante notar que a mulher, para Ossian, era possuidora de vontade e poder de decisão, ao contrário do papel remissivo comumente dado a ela na literatura europeia.

Na literatura céltica, a heroína instigava o amante e declarava abertamente a própria paixão. A morte era a consequência do amor ilícito ou do adultério. Os amantes Dermid e Graïna, segundo a lenda escocesa, têm um fim trágico – ela propõe ao amante que fugissem juntos, mas ele morre numa armadilha do marido de Graïna. Uma variante dessa lenda é *Tristão e Isolda*, cujo fim não é diferente da primeira. No poema ossiânico *Darthula*, Deirdré protagoniza um romance de amor sombrio e passional nos mesmos moldes de Dermid e Graïna. O maravilhoso, o heroico e o sentimental são os três componentes que conduzem essas narrativas de amor e morte, um amor que, quanto maior o impedimento, maior o encantamento e a magia.

O arquétipo da mulher fatal é representado em *A Nebulosa* de uma forma diferente. Ao invés de propor ao amante uma fuga, ela recusa o amor do Trovador tornando-se a "dama sem misericórdia", como disse Keats em seu poema homônimo. Quando se busca a tradição ossiânica na literatura europeia, no final do século XVIII e no século XIX, fica claro que o novo tipo de poesia, surgido nessa época, bebeu na fonte da poesia medieval dos "povos do Norte". Porém, essa poesia dos celtas, escoceses, passou por uma interpretação e tradução em língua inglesa por Macpherson, que eliminou o aparato maravilhoso e sobrenatural das lendas e inseriu, nessa mesma poesia antiga medieval, elementos novos, como os sentimentos e linguagem modernos, bem ao gosto do nascente romantismo. Macedo, por sua vez, preferiu preservar esse caráter fantástico das lendas celtas. Enquanto isso, Ossian, o melancólico cantor dos esplendores de sua raça extinta, tornou-se uma espécie de protótipo do vate romântico ferido pelo "mal do século". Observamos, porém, que a prosa inglesa de Macpherson, traduzida para a língua italiana em versos decassílabos soltos pelo abade Cesarotti, em 1763, também tem a sua parcela de influência sobre essa corrente poética produzida daí em diante.

Quanto à forma, Cesarotti resolveu o dilema do tradutor optando pelo decassílabo solto. Essa inovação na tradução era uma espécie de resistência ao meio expressivo do texto original e uma maneira de adaptar o original inglês à língua e à poesia italiana. Se James Macpherson eliminou todo o aparato maravilhoso da lenda céltica e transformou Ossian num melancólico vate romântico de sua raça extinta, coube a Cesarotti, ao traduzir a prosa ossiânica em versos, por se adaptar melhor à língua italiana, apresentar à cultura mediterrânea uma nova forma de se pensar e fazer poesia, dando a Ossian o lugar de gênio do Norte, comparado ao Homero do Sul. Com Cesarotti, temos a abertura para a passagem do pensamento neoclássico para o romântico, pelo menos no mediterrâneo, já que essa abertura aos povos do Norte foi dada por Ossian-Macpherson. O entusiasmo e influência que essa tradução conseguiu foi resultado do ascendente sentimental dessa poesia do Norte adaptada à cultura mediterrânea. É dessa forma que percebemos a influência de Ossian em poetas como Ugo Foscolo, Vittorio Alfieri e Leopardi. *Dos Sepulcros*, de Ugo Foscolo e *Amor e Morte*, de Leopardi, são exemplos de obras pré-românticas que expressam essa poesia tumular e que influenciaram toda a poesia melancólica e noturna do romantismo.

Para Ossian-Cesarotti o horror da noite se associa ao da morte, para a configuração de uma natureza de caráter lúgubre, intensificado pelo canto de uma coruja:

> Triste è la notte, tenebria s'aduna
> Tingesi il cielo di color di morte:
> Qui non si vede né Stella, né Luna,
> Che metta il capo fuor delle sue porte.
> [...]
> Su quell'alber cola, sopra quel tufo,
> Che copre quella pietra sepolcrale,
> Il lungo-urlante ed inamabil gufo
> L'era funesta col canto ferale[12].

12. Ossian, *La Notte*, tradução italiana de Melchiorre Cesarotti. Milão, Sociedade Tipográfica de Italiano Clássico, 1820, tomo III, p. 137.

Marusca Oliva Bertolozzi[13] assim traduz os versos italianos de Cesarotti:

Triste é a noite, as trevas se juntam,
O céu se tinge de cor de morte:
Aqui não se vê nem estrela, nem lua
Que coloque a cabeça fora de suas portas.
[...]
Sobre aquela árvore ali, sobre aquele travertino
Que cobre aquela pedra sepulcral,
A desamada coruja com seu longo canto
O ar entristece com o canto lúgubre.

Se para Ossian a natureza é estática e uma barreira que impede o poeta de transcender, para Ugo Foscolo, existe uma simbiose ou cumplicidade entre homem e natureza. Mais ao gosto romântico também encontramos em *Dos Sepulcros* uma extraordinária tristeza, que subordina o cenário ao sentimento de piedade contido nos versos:

All'ombra de'cipressi e dentro l'urne
Confortate di pianto è forse il sonno
Della morte men duro? Ove piú il Sole
Per me alla terra non fecondi questa
Bella d'erbe famiglia e d'animali,
E quando vaghe di lusingheinnanzi
E la mesta armonia Che lo governa,
Né piú nel cor mi parlerà lo spirto
Delle virgine Muse e dell'amore,
Único spirto a mia vita raminga,
Qual fia ristoro a'di perduti um sasso

13. Professora de italiano da Associação Italiana Giuseppe Verdi, Salto (SP).

Che distingua lê mie dalle infinite
Ossa Che in terra e in mar semina morte?[14]

Em tradução de Marusca Oliva Bertolozzi:

Talvez o sono da morte seja menos doloroso
Na sombra dos ciprestes e dentro dos túmulos,
Confortados pelo pranto [dos vivos]?
Quando o Sol terá acabado para mim na terra
De fecundar a criação
E quando o futuro atraente pelas vagas promessas
Terá perdido toda sedução
E nem ouvirei mais de você, doce amigo,
O verso e a harmonia melancólica que o inspira,
Nem mais no coração sentirei a inspiração
Das Musas e do amor,
Única consolação da minha vida errante,
Qual consolação será para a vida acabada
Uma lápide que diferencie os meus restos de inúmeros outros
Que a morte espalha na terra e no mar?[15]

A poesia sepulcral ou tumular era propícia aos sentimentos de melancolia, solidão e silêncio próprios da natureza romântica, daí a escolha do cemitério como cenário privilegiado. Já no século XVIII apareceram poemas de caráter noturno ou mesmo sepulcral. Porém, na primeira metade do século XIX esse tipo de poesia proliferou[16]. Essa vertente da

14. Ugo Foscolo, *Sepolcri* (1807), edição crítica por Giovanni Biancardi e Alberto Cadioli, Milão, Il muro di Tessa, 2010.

15. Ugo Foscolo, *Os Sepulcros*. Tradução de Marusca Oliva Bertolozzi, Associação Italiana Giuseppe Verdi, Salto (SP).

16. Alguns títulos dão exemplo dessa poesia sepulcral: *Os Túmulos, O Cipreste, O Suicida, Meia-Noite, O Pranto dos Túmulos, O Dia de Finados, O Meu*

escola romântica caracteriza-se por uma reflexão doentia sobre a vida e seu único sentido: a morte como destino último, destruidor de todas as esperanças de uma felicidade terrena. Cultiva-se um pessimismo sem remissão, um desencanto perante a vida, a pátria e o mundo, resultando em desgosto, frustração e morte.

No Canto IV de *A Nebulosa*, intitulado "Nos Túmulos", o Trovador visita a última morada de seu pai e expressa toda a sua desesperança e o seu desejo de morte:

> Não posso mais com a vida! odeio o mundo,
> Que nas garras me aperta, e despedaça;
> Odeio a terra... não! meu pai, perdoa,
> Eu amo a terra, que teus restos cobre!
> Eu só detesto a vida; em prazo breve
> Desse fardo pesado hei de livrar-me.
> Pela última vez o sol no ocaso
> Vi-o inda há pouco; despontar brilhante
> Não o verei mais nunca; a noite é esta
> Sem termo para mim; a eternidade
> Das trevas abafou-me antes da morte.

Toda a matéria romântica, como o gosto pelo passado, o medievalismo, o mistério e o horror, os elementos folclóricos e populares, as elegias de caráter rústico, o pitoresco de bruxarias e malefícios diabólicos, as fadas e feitiçarias, a poesia tumular, o amor e a morte, a fusão de gêneros e a ingenuidade de sentimentos exacerbados são característicos da poesia ossiânica e se encontram entranhados no poema *A*

Túmulo, A Voz do Sepulcro, A Noite do Cemitério, O Juízo Final, Reflexões ao Pé de uns Túmulos, O Mistério da Noite, Mocidade e Morte, As Ruínas, A Voz dos Finados, Canto Fúnebre, Pallida Amors, Amor e Morte, O Noivado do Sepulcro etc.

Nebulosa, de Joaquim Manuel de Macedo, que, assim, se vincula à tradição romântica da "poesia do Norte", na contramão da mais prestigiada poesia romântica brasileira, afeita à cor local.

A Nebulosa *e o Amor Impossível ou "La belle dame sans merci" (Keats)*

La Belle Dame sans Merci (1893), óleo sobre tela do pintor pré-rafaelita inglês John William Waterhouse (1849-1917).

O tema do amor impossível em *A Nebulosa* fora esboçado em outro poema de Macedo: "Não Sei", publicado na revista *Guanabara* em 1849. Num e noutro, um homem tem uma louca paixão por uma virgem bela, inacessível e insensível ao amor. É a bela dama sem misericórdia, retratada por Keats[17]. Em ambos, os apaixonados não recebem nem mesmo a esperança de amor futuro: a Peregrina, mulher fatal do primeiro poema, responde sempre com a palavra "jamais" e, no segundo, a virgem sempre diz "não sei". Esta sente remorsos e vai a procura do jovem apaixonado; aquela ouve uma voz do céu e corre atrás do Trovador para salvá-lo da morte. No poema mais antigo, o apaixonado moribundo recorre à fala repetida pela amada indiferente – "não sei" – antes de expirar. Nos dois poemas, as personagens não têm nome próprio e as histórias se passam num bosque qualquer, num tempo igualmente indefinido. Temas, imagens e caracteres, esboçados em "Não Sei", são desenvolvidos em *A Nebulosa*.

Macedo recorre ao mito da mulher fatal nos dois poemas citados. Neles, os homens são tragados pela força terrível de um simples "não sei" ou "jamais", proferido por mulheres belas e cruéis. Elas se arrependem, depois, como já foi dito, seja pelo amor que nasce no coração da virgem do poema "Não Sei", seja pela intervenção de Deus, que faz com que a Peregrina aceite o amor do Trovador. Diferentemente de muitos casais apaixonados, como Romeu e Julieta ou Paulo e Virgínia, que encontram obstáculos externos, a Peregrina e o Trovador não chegam a formar um par, pois ela não o ama; o "jamais" proferido por ela é o jamais amar.

Mais importante, porém, no romantismo, não é o motivo da negação do amor e sim a impossibilidade de sua realização, ideia resumida num dos versos de *A Nebulosa*: "Amei

17. John Keats (1795-1821): poeta inglês do período romântico. O poema "La Belle Dame sans Merci" ("A Bela Mulher sem Misericórdia") foi escrito em 1819.

nessa mulher um impossível"[18]. O que interessava era a situação arquetípica do amor impossível, e isto está bem representado nos dois poemas de Macedo.

Interessantes exemplos desse tema, por certas semelhanças com *A Nebulosa*, são o drama *El Trovador* (1836), de Antonio García Gutiérrez, considerado obra-prima do teatro romântico espanhol, e a ópera *O Trovador*[19] (1853), de Giuseppe Verdi, inspirada naquela peça teatral. No drama e na ópera, assim como no poema de Macedo, observam-se as mesmas paixões exacerbadas pela impossibilidade amorosa e os decorrentes finais trágicos. Assim como Verdi, teria o poeta brasileiro se inspirado no drama espanhol? Não se sabe, mas há pontos de contato entre o poema e a peça. A designação do protagonista de *A Nebulosa* evoca o nome da obra de Gutiérrez que, aliás, é epíteto do protagonista Manrico: o trovador. Além do igual número de personagens que contracenam na peça e no poema – a feiticeira Nebulosa só se manifesta no prólogo e não contracena com as demais personagens –, as tramas apresentam triângulos amorosos, embora na primeira os vértices sejam compostos por dois homens e uma mulher e, na segunda, por duas mulheres e um homem. Em ambos os casos, intervêm as mães dos trovadores. No poema, a Doida ama o Trovador, que ama Peregrina, que não ama ninguém. No drama, o conde de Luna ama Leonora, que ama o Trovador, que a ama também. Há sempre empecilhos à realização do amor: a Peregrina não pode amar, por força da jura no leito de morte da mãe; Leonora, embora tenha amor no coração, é impedida de realizá-lo. Leonora se associa ao estereótipo romântico da mulher-anjo, enquanto

18. *A Nebulosa*, Canto VI: Harpa Quebrada, verso 4134.

19. Na época de publicação de *A Nebulosa*, existia uma casa de ópera no Rio de Janeiro chamada *O Trovador*. Em 1855 existia em Portugal um jornal musical intitulado *O Trovador*, baseado em temas de óperas verdianas.

Peregrina evoca o da mulher fatal, mas ambas são vítimas, cada uma a seu modo.

Na poética cultural do romantismo, o obstáculo, o impedimento do amor, é motivo de sofrimento, porém, não amar – e também não ser amado – é pior do que qualquer castigo. O *topos* do amor impossível, associado à tensão máxima de sentimentos e emoções das personagens, que conduzem ao final trágico, constitui a característica fundamental da corrente conhecida como ultrarromantismo, a que se filia o poema de Macedo.

A Nebulosa *e as Formas Poéticas: O Gênero*

A classificação de *A Nebulosa* no gênero poema-romance aparece inicialmente na revista *A Marmota* (28/08/1857), dirigida por Paula Brito. Desde então, os periódicos, antologias, dicionários e histórias literárias adotaram tal classificação[20], talvez porque ela seja, de fato, pertinente, pois, com efeito, trata-se de um poema escrito em versos que, em última análise, narram uma história, embora haja predominância de monólogos e diálogos. Como se sabe, o romance é o gênero em que, historicamente, se realiza a fusão mais radical do lirismo poético com a narrativa épica (que comporta o fantástico) e o elemento dramático (a ação direta das personagens por meio de diálogos e monólogos).

20. *Correio Mercantil*, 27/09/1857 e 18/10/1857; *Revista Literária e Recreativa*, 03/12/1857; Francisco Innocêncio da Silva, *Dicionário Bibliográfico Português*, 1858; Fausto Barreto e Carlos de Laet, *Anthologia Nacional*, 1895, p. 13; Augusto Victorino Alves Sacramento Blake, *Dicionário Biobibliográfico Brasileiro*, 1898, p. 183; Basílio de Magalhães, *Bernardo Guimarães*, 1926; Antonio Candido, *Formação da Literatura Brasileira: Momentos Decisivos*, 1959, pp. 98-101, v.2; Luciana Stegagno Picchio, *História da Literatura Brasileira*, 1997, p. 169.

Se podemos dizer que há uma unidade de caráter romântico, o mesmo não se pode dizer em relação aos diversos gêneros praticados. Como separar e classificar as obras poéticas, as obras em prosa ou as peças de teatro, quando romantismo significa renovação poética, cuja característica comum consiste na fusão dos gêneros em proveito de uma expressão que parecesse cada vez mais espontânea? Os poetas cultivaram o lirismo, a epopeia, a poesia filosófica ou política e a sátira, sem obedecer às fronteiras clássicas dos gêneros.

Se temos exemplos dessa fusão de gêneros, o mesmo não se pode dizer sobre uma teoria dos gêneros, pelo menos em Portugal e no Brasil. O que temos é uma teorização importada (Schiller, os irmãos Schlegel, Victor Hugo), reconstituída a partir de prefácios, críticas ou ensaios. Nesses textos, encontraremos referências aos três grandes gêneros da teorização romântica: o lírico, o narrativo e o dramático. Porém, essa sistematização não é tão simples assim, pois há que considerar a tentativa de classificação dos gêneros surgidos após a recusa da rigidez das preceptivas do neoclassicismo setecentista.

Como delimitar a fronteira entre poesia e prosa, poema narrativo, drama e romance? Alexandre Herculano, no prefácio a *Eurico, o Presbítero*, ficou na dúvida; seu livro seria "crônica-poema, lenda ou o que quer que seja"[21]. Quando Garrett, na sua "Introdução" ao *Romanceiro*, dizia que "o que é preciso é estudar as nossas primitivas fontes poéticas, os romances

21. Alexandre Herculano, *Eurico, o Presbítero*. São Paulo, Ática, 1991. Prólogo do autor escrito em novembro de 1843. Em nota, o autor complementa: "Sou eu o primeiro que não sei classificar este livro; nem isso me aflige demasiado. Sem ambicionar para ele a qualificação de poema em prosa – que não o é por certo – também vejo, como todos hão de ver, que não é um romance histórico, ao menos conforme o criou o modelo e a desesperação de todos os romancistas, o imortal Scott".

em verso e as lendas em prosa, as fábulas e crenças velhas, as costumeiras e as superstições antigas"[22], ele estava se referindo a formas e a conteúdos da tradição popular compreendidos como fontes para renovação das letras. Sendo assim, podemos dizer que o romantismo tentou adaptar formas antigas a conteúdos novos e velhas histórias a novos gêneros.

Uma das vertentes mais originais do romantismo europeu é um tipo de composição lírico-épico-romanesca chamada, conforme a nacionalidade, balada, romance, cantares, ou, muito simplesmente, poema.

O poema narrativo romântico descende de uma fórmula já experimentada no século XVIII com o ossianismo. A tradição das velhas baladas folclóricas escocesas, veiculadas no fim do século XVIII, levou Walter Scott a produzir poemas que provêm da imaginação do autor, como *A Balada do Último Menestrel*, e poemas narrativos como *A Dama do Lago*, romance em verso ou poema-romance que mescla a tradição popular com um lirismo de sensibilidade romântica. Na mesma linha, há o poema narrativo *Oberon*, do alemão Wieland, publicado em 1817, dentre vários outros exemplos possíveis. No entanto, a obra-prima do gênero é *O Canto do Velho Marinheiro*, de Coleridge, publicado em 1798, com profundas influências do ossianismo e das baladas alemãs.

Vimos que a revista *A Marmota*, em 1857, definira *A Nebulosa*, quanto ao gênero, como poema-romance, pelo fato de ser composto em versos e cantos, mas também porque "a fábula do poema, se não é natural, é pelo menos poética e nas condições da poesia explicável; há nela entrecho, ação, desenvolvimento, trágico desenlace, enfim todas as partes essenciais

22. Almeida Garrett, "Introdução", *Romanceiro e Cancioneiro Geral*, Lisboa, Clássica, 1962.

de um poema. [...] E essa ação é dramática, como a dos melhores poemas que temos lido". Trinta anos depois, em 1890, José Simões Dias, em sua *Teoria da Composição Literária*, seguindo esse percurso e avançando na senda, inseriu o poema categoricamente na tradição romântica da poesia dramática. Conforme se compreendia no século XIX, esse gênero representava uma ação particular da vida humana, servindo-se do diálogo, do monólogo e dos gestos das personagens. Tal ação seria a um só tempo objetiva, por ser a expressão de um acontecimento alheio à vida do autor, e subjetiva, por parecer uma reprodução direta da alma das personagens.

Para caracterizar *A Nebulosa* quanto ao gênero, talvez seja conveniente aproximá-lo também da noção de melodrama. Derivado do drama, esse gênero combina cenas tristes e alegres, tragédia e comédia, mostrando situações exageradamente sentimentais e inverossímeis. A descrição do Trovador no cemitério, correndo atrás da Peregrina, tropeçando e abrindo o crânio numa lápide, tem uma tonalidade trágica, sem deixar de lado a comicidade, tal como ocorre na cena dos coveiros em *Hamlet*. O final do poema, de tão trágico, acaba se tornando cômico para sensibilidades e inteligências refratárias ao ultrarromantismo.

A Nebulosa *e as Formas Poéticas: Os Versos*

É interessante observar que o romantismo, apesar de ter inovado e renovado as formas literárias quanto ao gênero, manteve uma posição conservadora em se tratando da versificação. O verso decassílabo não perdeu o prestígio que tivera no neoclassicismo. Foi nele que a Marquesa de Alorna traduziu para o português poemas como *Oberon*, de Wieland, diretamente do alemão, e *Darthula*, de Ossian, nas suas *Obras Poéticas*, de

1844[23]. Em 1825, Almeida Garrett compõe em decassílabos brancos os dez cantos de seu poema narrativo *Camões*, marco do romantismo lusitano, em que ressoam influências de Byron e Walter Scott. Ainda em língua portuguesa, há *Os Ciúmes do Bardo* e *A Noite do Castelo*, de Antônio Feliciano de Castilho, ambos publicados em 1836 e, igualmente, escritos em versos decassílabos, o primeiro com seis cantos e o segundo com quatro. Outro poema narrativo de grande extensão, vem a ser *O Mouro Enjeitado*, publicado pelo Duque de Rivas em 1834, cujos doze cantos em versos decassílabos chamam a atenção pela cor local e a celebração da alma nacional.

Quando contamos as sílabas poéticas dos versos do poema de Macedo, atualmente, contamos dez sílabas, mas, no século XIX, a maior parte dos críticos identificou onze sílabas métricas nos versos que compõem *A Nebulosa*. A disparidade se entende se tivermos em vista a reforma da metrificação lusófona ocorrida na época.

Na poesia lusófona, até meados do século XIX, prevalecia o padrão espanhol de contagem métrica, chamado grave, em que se conta uma sílaba além da última forte do vocábulo terminado em palavra paroxítona, desprezando-se uma sílaba para efeito de contagem se for esdrúxulo, ou seja, se a última palavra for proparoxítona. De fato, os versos da poesia lusófona eram contados segundo a classificação espanhola até meados do século XIX, quando houve a chamada "Reforma de Castilho"[24], que propôs a mudança para o padrão agudo ou francês. Este, a partir de então, foi sendo progressi-

23. Marquesa de Alorna, *Obras Poéticas*, Lisboa, Imprensa Nacional, 1844, v. II.

24. Antônio F. de Castilho, *Tratado de Metrificação Portuguesa*, 1ª ed., 1851.

vamente adotado[25] até tornar-se canônico. Nele, conta-se até a última sílaba tônica, desprezando-se as átonas seguintes.

Desse modo, ao lermos os críticos da época da publicação do poema de Macedo, encontraremos a classificação dos versos como hendecassílabos soltos. No entanto, é necessário entender que os críticos seguiam o modelo de metrificação espanhola e não a francesa. Atualmente, os versos de *A Nebulosa* são metrificados como decassílabos soltos. Contudo, há irregularidades métricas ao longo do poema: passagens em versos eneassílabos (nove sílabas poéticas) e, aqui e ali, versos hendecassílabos (onze sílabas poéticas) ou, até mesmo, alexandrinos (doze sílabas poéticas).

Versos soltos, ou brancos, são aqueles sem rima. Prestigiados pelos neoclássicos portugueses e brasileiros, como é o caso de Basílio da Gama, em *O Uraguay*, permaneceram estimados no romantismo. Sílvio Romero, na sua *História da Literatura Brasileira*, de 1888, dizia que "*A Nebulosa* são escritas [*sic*] em versos [...] não rimados, pode-se dizer que a tal ou qual ênfase que se lhes nota na forma era realmente devida à

25. Em 1882, ainda havia discussões a respeito da contagem das sílabas no Brasil. Bernardo Guimarães, no prefácio a *Folhas de Outono*, publicado em 1883, depois de dizer que "os brasileiros adotaram, abraçaram com um fervor, um fanatismo tal", cita o próprio Castilho como exemplo de perfeição [...] segundo o modelo espanhol. "É dele mesmo, desse bardo imortal, que vou tirar o exemplo do quanto é superior o nosso verso de onze sílabas ao de treze para todos os assuntos e principalmente para assuntos elevados. Quem não tem lido e não sabe até de cor *Os Ciúmes do Bardo*? Esses magníficos [versos], apesar de não rimados, gravam-se por si mesmos na memória do leitor". Ora, *Os Ciúmes do Bardo*, de Castilho, foi publicado em 1836 seguindo o padrão de metrificação espanhola, com onze sílabas, dez na francesa. Quando ele diz "treze para todos os assuntos" está se referindo ao alexandrino que, segundo o sistema francês adotado por Castilho, tem doze sílabas. Isto significa que no final do século XIX muitos autores ainda preferiam o modelo espanhol à inovação de Castilho, proposta em 1851.

influência indicada de Magalhães e do autor das *Brasilianas*"[26]. Romero refere-se aos poemas *A Confederação dos Tamoios*, de Gonçalves de Magalhães, publicado em 1856, poema épico estruturado em dez cantos de versos decassílabos soltos, e a Manuel de Araújo Porto-Alegre, que publicou *Brasilianas*, em 1843, igualmente em decassílabos brancos.

Publicações de A Nebulosa

Antes da publicação integral de *A Nebulosa* em livro, fragmentos do poema foram estampados em periódicos. Seu primeiro canto surge na revista *Guanabara*, dirigida por Manuel de Araújo Porto-Alegre, Antônio Gonçalves Dias e pelo próprio Macedo, em 1850. No ano seguinte, a mesma revista estampa o Canto II. Embora o público estivesse acostumado a leitura de capítulos em folhetins, os oito meses que separam a publicação dos dois excertos exigiriam memória demais do leitor; era de se esperar que os fragmentos não suscitassem muita manifestação.

Ainda inédito, o poema foi lido por Macedo em uma das salas do Paço Imperial, oferecida pelo imperador para as reuniões do Instituto Histórico e Geográfico Brasileiro. O monarca não era somente protetor do IHGB, ele frequentava com assiduidade as reuniões dessa instituição que desempenhava importante papel em seu projeto, empenhado em imprimir um caráter brasileiro à nossa cultura. Quando Dom Pedro II se interessava por alguma obra, dispunha-se a subsidiá-la. Fora assim com *A Confederação dos Tamoios*, de Gonçalves de Magalhães. É esse também o caso de *A Nebu-*

26. Sílvio Romero, *História da Literatura Brasileira*, Rio de Janeiro, José Olympio, 1953.

losa. Segundo Galante de Sousa, o monarca financiou a publicação do poema[27].

Na 9ª sessão anual do IHGB, em 25 de setembro de 1857, *A Nebulosa* foi lançada em livro, segundo nota do *Correio Mercantil*, com a dedicatória: "à sua majestade imperial, o senhor D. Pedro II, Imperador Constitucional e Defensor Perpétuo do Brasil, O. D. C. o seu reverente e muito leal súdito, Joaquim Manuel de Macedo". Um exemplar foi entregue ao monarca cujo apoio certamente favoreceria a divulgação da obra, mas não seria garantia infalível para o seu sucesso. Ela precisaria percorrer outras instâncias para alcançar sua legitimação. No mesmo dia da cerimônia de lançamento, porém, um colunista do *Diário do Rio de Janeiro* diz ter recebido um exemplar: "P.S. Neste momento acabo de receber *A Nebulosa* do Sr. Dr. J. M. de Macedo: – tenho assim o prazer de dar-vos conta do mais lindo fato da semana".

A Nebulosa não causou polêmica, como *A Confederação dos Tamoios*, nem revolucionou a literatura. Foi recebida, por muitos, não por todos, como um poema de rara beleza, em que se poderia repousar o espírito por alguns dias. Por causa de *A Nebulosa*, Macedo foi agraciado, depois do poema impresso, com a Ordem da Rosa, criada por Dom Pedro I para premiar militares e civis, nacionais e estrangeiros, que se distinguissem por sua fidelidade à pessoa do imperador e por serviços prestados ao Estado. Dom Pedro II agraciou artistas com a comenda, como forma de valorização das letras e das artes em geral. Como poetas e escritores não eram muito bem-vistos pela sociedade da época, o imperador praticava uma política de valorização dos literatos, pois os considerava de grande importância para o projeto de construção da nacionalidade.

27. José Galante de Sousa, *Machado de Assis e Outros Estudos*, Brasília, Cátedra, Rio de Janeiro, MEC-INL, 1979, p. 140.

À editora carioca J. Villeneuve & Cia. coube o lançamento do poema integral, em livro de 290 páginas. Pode parecer estranho a publicação ter saído por essa tipografia, pois poetas, romancistas, artistas, líderes da sociedade, jornalistas, enfim, todos tinham a tipografia de Paula Brito como ponto de encontro literário e editora preferencial. No entanto, a empresa de Paula Brito é vítima da primeira crise econômica de âmbito mundial, exatamente em 1857, em consequência da falência da Ohio Life Insurance and Trust Company, como nos esclarece Laurence Hallewell, em seu *O Livro no Brasil*[28]. É de se supor que Macedo, por esse motivo, tenha procurado a tipografia do francês Villeneuve.

Cada exemplar de *A Nebulosa* era vendido pelo preço de três mil e quinhentos réis, um pouco mais caro do que uma nova edição de *A Moreninha*, que saía por três mil-réis. A edição era cara se comparada com *O Guarani*, de José de Alencar, lançado por dois mil-réis[29] o volume. Por que custavam mais os livros de Macedo? Numa propaganda do poema *A Nebulosa*, que aparece no *Correio Mercantil* em 29 de outubro de 1857, é destacado no texto, com letras maiores e maiúsculas, o fato de o livro ter sido dedicado ao imperador. Isso talvez lhe conferisse prestígio e induzisse o leitor a comprá-lo, mesmo por um preço elevado. O leitor tinha a opção de adquiri-lo em brochura ou encadernado, embora o preço entre um e outro não fosse muito diferente.

Em 27 de agosto de 1858, o número 981 do periódico *A Marmota*, dirigido por Paula Brito, divulga um excerto (do verso 1513 ao 1651) extraído do Canto III do poema de Macedo. Ou-

28. Laurence Hallewel, *O Livro no Brasil*, São Paulo, T. A. Queiroz, Edusp, 1985, pp. 89-90.

29. José de Alencar, *Como e Porque sou Romancista*, Campinas, Editora Pontes, 1990.

tros fragmentos do poema aparecem em outros números do mesmo periódico. Com a didascália "Cenas tocantes de amor e de paixão descritas pelo snr. DR. Macedo na – *Nebulosa* – poema de sua composição"[30], o número 996 estampa do verso 2486 ao 2615, pertencentes ao Canto IV, "Nos Túmulos". Os números seguintes da revista contêm os versos subsequentes: 997[31], do verso 2616 ao 2684; 998[32], versos 2685-2813; 999[33], versos 2814-2939; 1000[34], finalizando as "cenas tocantes de amor e de paixão" descritas em *A Nebulosa*, os versos 2940-3020.

A segunda e última edição em livro[35], com 280 páginas, foi publicada por H. Garnier no Rio de Janeiro, com a indicação de que se tratava de uma "nova edição". A livraria Garnier ocupara o lugar deixado com a morte de Paula Brito. Suas primeiras publicações foram feitas por tipografias do Rio de Janeiro, entre elas a da viúva de Paula Brito. Embora a segunda edição de *A Nebulosa* não seja datada, podemos fazer uma estimativa, com base no endereço do editor estampado na folha de rosto: Rio de Janeiro, H. Garnier, Livreiro-Editor, rua do Ouvidor, 71. Hallewell, em obra citada, informa que a Garnier teve como endereço a rua do Ouvidor, nº 69 (mais tarde renumerado 65). Ali ela permaneceu até 1878, quando se mudou para o número 71 da mesma rua. Sendo assim, a segunda edição somente foi publicada depois de 1878. Chama a atenção a inicial que antecede o sobrenome Garnier. Antes de 1852, a editora comercializava sob o nome Garnier Irmãos, e os irmãos eram Auguste, Hip-

30. *A Marmota*, 19 de outubro de 1858, p. 3.

31. *Idem*, 22 de outubro de 1858, p. 3.

32. *Idem*, 26 de outubro de 1858, p. 3.

33. *Idem*, 29 de outubro de 1858, pp. 2-3.

34. *Idem*, 2 de novembro de 1858, pp. 3-4.

35. Joaquim Manuel de Macedo, *A Nebulosa*, Rio de Janeiro, H. Garnier Livreiro Editor, [s.d.].

polyte, Pierre e Baptiste Louis. Depois dessa data, Baptiste Louis "parece ter conseguido sua independência, tornando-se então 'B. L. Garnier'"[36]. O rompimento final com seus irmãos aparentemente ocorre em 1864 ou 1865: o primeiro volume da *História da Fundação do Império Brasileiro*, de Pereira da Silva, traz a indicação "Rio de Janeiro, B. L. Garnier; Paris, Garnier Irmãos", mas os volumes subsequentes têm apenas a indicação "Rio de Janeiro, B. L. Garnier; Paris, Durand"[37]. Parece então que *A Nebulosa* foi editada por Hippolyte, irmão de Baptiste Louis, com o endereço da B. L. Garnier.

Recepção Crítica

O poema *A Nebulosa* é pouco conhecido atualmente nos meios acadêmicos e o público em geral desconhece a obra. Os livros didáticos ou os de leitura para vestibular não citam o poema de Macedo. O último comentário de fôlego sobre *A Nebulosa* é datado de 1863, na crítica de Ferdinand Wolf. Depois disso, só nos necrológios do autor, em 1882, há alguma referência, por exemplo o do jornal carioca *Gazeta de Notícias* que, ao fazer o inventário do autor, lembra do poema nos seguintes termos: "*A Nebulosa* [...] pode considerar-se como a última corda de sua lira, como o último trabalho que ele fez dominado unicamente por preocupações literárias".

Pela citação acima podemos ter uma ideia do pensamento que se tinha sobre os últimos vinte anos de produção do autor, supostamente, já não mais pautada "unicamente por preocupações literárias". Entre 1867 e 1870, Macedo publi-

36. Laurence Hallewell, *op. cit.*, p. 128.
37. *Idem, ibidem.*

cou nada menos que dez títulos[38]. Tamanha produção se explica pela necessidade de sobrevivência, afinal, o escritor não exercia a profissão de médico, em que era formado, e havia perdido o mandato de deputado. No entanto, a partir de 1870, ele começa a receber uma gratificação relativa a quinze anos de trabalho no colégio Pedro II e, além disso, uma ajuda informal da elite intelectual do país e do imperador, na forma de encomendas de anuários e manuais. Contudo, essa segunda ajuda servira de argumento para identificá-lo, no final da vida, com o romantismo ultrapassado. Por volta de 1880 houve um aumento considerável de escritores, já que o romance tinha público crescente e começava a encontrar o seu lugar na literatura. Esta proliferação de autores fez com que muitos deles, satisfazendo ao gosto do público, se tornassem motivos de suspeitas e reprimendas, levando a crítica a dividir o campo literário em dois grupos: o dos escritores desinteressados, preocupados apenas com a consagração literária a longo prazo e o dos escritores interessados na popularidade e no retorno financeiro. Assim, *A Nebulosa*, vinte e cinco anos após a sua primeira publicação, ainda era vista como obra de valor, conforme o parecer do crítico da *Gazeta de Notícias* do Rio de Janeiro.

De fato, a popularidade de Macedo sempre foi contínua, talvez pelo conjunto de sua obra revelar uma vasta multiplicidade de manifestações e fecundidade numérica.

Mas não é o romancista que nos interessa aqui e sim o poeta ou, mais precisamente, o poema *A Nebulosa*. Depois de relembrada na morte do autor, a obra é citada de tempos em tempos: em 1888, por Sílvio Romero e, em 1890, pelo

38. *Voragem*, 1867; *Memórias do Sobrinho do Meu Tio*, 1868; *A Luneta Mágica*, *O Rio do Quarto* e *As Vítimas Algozes*, 1869; *O Romance de uma Velha*, *Remissão de Pecados*, *Nina*, *As Mulheres de Mantilha* e *A Namoradeira*, 1870.

Visconde de Taunay; depois, somente em 1898, por Sacramento Blake, último dos comentários do século XIX sobre o poema. O século XX vai reencontrar o poema em 1906, novamente com Sílvio Romero; em 1916, com José Veríssimo; 1925, Carlos José dos Santos; 1926, Basílio de Magalhães; 1930, Jorge O. e Almeida Abreu; 1959, Antonio Candido; 1963, José Galante de Sousa; 1972, Luciana Stegagno Picchio; 1977, Wilson Martins e José Guilherme Merquior; 1979, José Galante de Sousa; 1985, José Armelin Bernardo Guimarães; 1987, José Antônio Pereira Ribeiro; 1994, Tânia Rebelo Costa Serra; 2001, Ubiratan Machado.

Desde a primeira nota publicada sobre *A Nebulosa*, de José Justiniano da Rocha, no *Jornal do Comércio* em 23 de outubro de 1857, seguida pela de Manuel de Araújo Porto-Alegre, em 12 de dezembro de 1857, no Suplemento Literário ao Tomo XX da *Revista Trimestral do Instituto Histórico e Geográfico Brasileiro*, e por todas as posteriores, observa-se a crítica sempre positiva ao poema de Macedo, com uma única exceção.

Em 1860, Bernardo Guimarães publicou no jornal *A Atualidade*, do Rio de Janeiro, uma série de críticas negativas ao poema. Na verdade, uma crítica extensa que se iniciou em 4 de fevereiro de 1860, na *Parte Literária* do jornal, e se desdobrou em números sequentes[39]. O crítico pretendia "dar uma análise ampla e completa desse poema", já que "seu aparecimento fez alguma sensação" e não obtivera mais do que "algumas frases de elogio". Assim, ele procurava formular sobre o poema "um juízo desenvolvido", utilizando critérios retórico-poéticos como forma de avaliação.

Segundo Bernardo Guimarães, o poema não fora bem-sucedido devido à extensão, falta de ação e movimento,

39. Números 67, pp. 2 e 3; 68, 11 de fevereiro, p. 2; 69, 18 de fevereiro, p. 3; 70, 25 de fevereiro, pp. 2 e 3; 71, 3 de março, p. 3; 72, 17 de março, pp. 2 e 3; e 74, 28 de março, pp. 2 e 3.

pouca variedade nas cenas e personagens, costumes fora da esfera da verossimilhança da sociedade da época, falta de clareza, incorreção, além do mau gosto nas descrições, comparações e metáforas. Ele finaliza desculpando-se pela severidade da censura, mas acreditando fazer um serviço aos poetas e literatos ao discutir o mérito de suas obras. Assim, ele ironicamente diz que outros poderiam lhe mostrar a improcedência de sua censura, justificando o juízo vago proferido por um crítico que classificou *A Nebulosa* como "um dos mais belos poemas dos tempos modernos".

Para compreender tamanha censura ao poema, no entanto, é preciso contextualizar a produção dessa crítica. Na época em que a escreveu, Bernardo Guimarães acreditava que, sob influência de Macedo, membro do Conservatório Dramático, sua peça *O Pajé* fora impedida de se apresentar no Rio de Janeiro. A crítica negativa ao poema pode ter sido uma resposta a esse episódio, o que explicaria também a agressividade com que o texto foi formulado.

A despeito dessa avaliação crítica desfavorável, vimos que a recepção ao poema foi francamente positiva nas abundantes matérias a ele dedicadas na época da publicação e ao longo do século XIX. No século XX, embora esparsas, as críticas também foram favoráveis, como pode ser verificado, por exemplo, na avaliação feita por Antonio Candido, na *Formação da Literatura Brasileira*, segundo a qual *A Nebulosa*, como já citado, "talvez [seja] o melhor poema-romance do romantismo [brasileiro]". Por essas razões, ele merece ser retirado do esquecimento em que se encontra, para repô-lo em circulação. Talvez isso possa contribuir para que a crítica e os leitores atuais possam apreciar essa obra de grande interesse para o conhecimento mais amplo do romantismo no Brasil, bem como da hoje obscura face poética de Joaquim Manuel de Macedo.

O Texto desta Edição

A presente edição do poema *A Nebulosa*, com seus seis cantos e um epílogo, tem como texto de base o da segunda edição (e última), publicada por H. Garnier Livreiro Editor. Como vimos, essa edição, embora não datada, saiu do prelo, provavelmente, quando o autor ainda vivia, de modo que, teoricamente, corresponde à última vontade explícita do autor. Todavia, a comparação com o texto da edição *princeps* (Villeneuve & Cia., 1857) pôde esclarecer dúvidas e permitiu a reconstituição fidedigna do poema, tanto quanto foi possível, com a correção de erros e de lições deterioradas do texto de base.

A ortografia foi atualizada segundo o Acordo de 1990 e a pontuação recebeu discretas intervenções, quando o critério estilístico que vigorava no século XIX não encontra justificativa artística que o abone atualmente. Sobretudo quanto ao sistema de vírgulas, se o critério estilístico não se impuser, ele é convertido para a norma culta em vigor, que obedece a critérios sintáticos.

Em favor do leitor em formação, o texto é acompanhado de notas referentes ao léxico e aos mitos citados, além de algumas poucas de caráter histórico ou cultural.

A

NEBULOSA

POR

JOAQUIM MANOEL DE MACEDO.

RIO DE JANEIRO

TYPOGRAPHIA IMP. E CONST. DE J. VILLENEUVE E C

Rua do Ouvidor ... 65.

1857.

Frontispício da primeira edição de *A Nebulosa* (1857).

Á

SUA MAGESTADE IMPERIAL

O SENHOR D. PEDRO II

Imperador Constitucional e Defensor Perpetuo do Brazil

O. D. C.

O SEU REVERENTE E MUITO LEAL SUBDITO

Joaquim Manoel de Macedo.

Página da primeira edição, com a dedicatória ao imperador Pedro II.

A NEBULOSA

POEMA

POR

JOAQUIM MANOEL DE MACEDO

NOVA EDIÇÃO

RIO DE JANEIRO
H. GARNIER, LIVREIRO-EDITOR
71, RUA DO OUVIDOR, 71

2ª edição d'*A Nebulosa*, sem data, publicada pela Garnier.
A transcrição do poema, a seguir, foi feita a partir desta edição.

Canto I

A Rocha Negra

I

Como duas colunas de guerreiros
Gigantes feros[1], que avançando irados
Param ambas a um tempo antes da luta,
Deixando ao turvo olhar espaço breve;
Duas filas de rochas escarpadas
Tinham, rasgando o pélago[2] raivoso,
Frente a frente estacado; inabaláveis
Os pés ficavam no profundo abismo,
E em suas frontes remoinhavam[3] nuvens;
Quais de vingança tenebrosos planos.

II

Curta passagem concedida às águas
Entre os pétreos colossos se estreitava;
Fora rugia o mar, e além das rochas
Mansa e bela enseada se escondia;
Pela estreita garganta se escoavam
Para o seio abrigado ondas serenas

1. *Feros*: ferozes; violentos.
2. *Pélago*: alto-mar; abismo marítimo.
3. *Remoinhar*: dar voltas, girar ou rodar em remoinho.

Do oceano traidor fugindo a medo,
Com piedosas inspiradas virgens,
Que no mundo escapando, o claustro asila.

III

Dentro estava a enseada; em frente as rochas
Como atalaias[4] de mansão vedada;
Níveas praias, que as ondas galanteiam,
Os flancos lhe engraçavam; densos bosques,
Florestas seculares, altos montes,
As campinas ridentes sucedendo,
Por encantada terra se entranhavam.
No sítio infiltra a solidão magias;
Breves passos do mar via-se apenas
De um pescador cabana preguiçosa.

IV

E ali por entre as ondas se desdobra,
Qual um Tritão[5] que debruçado aferra,
Meio na água submerso e todo em sono,
Longo espinhaço de troncuda rocha.
Para no meio de outros que o semelham
Peças mil que ou de essência são vizinhas,
Ou já penhasco enorme um só formaram,
Que o tempo em cem penhascos dividira;
Mais alto do que os outros, sobranceiro
Ao pego[6], que raivoso aos pés lhe atira

4. *Atalaias*: lugares elevados; torres ou postos de vigia; sentinelas.
5. *Tritão*: na mitologia clássica, divindade marinha representada como semelhante a um homem na parte superior do corpo e como um peixe na inferior.
6. *Pego*: pélago; fundo do mar.

Ondas bravas de cólera espumando,
Um rochedo elevado, áspero e negro,
Velho pai da família de granito,
Audaz, se arroja à frente, o vulto eleva
Sobre o mar que a rugir lhe açoita as plantas,
Enquanto afogam-lhe o cabeço[7] as nuvens.
Horrível tradição mancha-lhe a história;
Dos vivos nenhum viu, avós não verão,
Quando foi ninguém sabe, e todos creem.
Dizem que ali na turva penha[8] imensa
Em velhas eras se acoitava[9] insana
Mulher sabida em mágicas tremendas,
Que ensinam maus espíritos; formosa,
Inda aos cem anos moça como aos vinte,
Vê-la um momento era adorá-la sempre;
E amá-la eterno perdimento da alma.
Gênio das trevas, só da lua amiga,
Fugia à luz do sol; mercê de encantos,
Durante a noite mística pairava
No espaço em torno à rocha densa nuvem,
Em cujo seio toda se embebia,
Mal se abriam no céu rosas da aurora;
Chamavam-na por isso a *Nebulosa*.
Em noites de luar trajando vestes
Roçantes e brancas, sobre as ondas
Os encantados filtros preparava
Como chamas, que nos olhos acendia,
E com orvalho do céu; inda nos mares
À meia-noite, como em praia ou campo,

7. *Cabeço*: cimo arredondado de um monte ou de uma colina.
8. *Penha*: grande rocha saliente na encosta de um monte
9. *Acoitar*: dar refúgio; abrigar.

Corria em pé e nem os pés molhava;
Vinha depois na rocha pentear-se,
Madeixas de ouro desatando às brisas;
Logo outra vez no mar cantava e ria,
Até que a luz do Senhor cedendo as trevas,
Em seu leito de nuvem se abismava.
Tempo, que não se mede, assim vivera
Sempre moça e gentil, malgrado os anos;
Uma noite porém de tredo[10] olvido[11]
(Foi castigo de Deus) ao mar se atira,
Sem que antes repetisse as da cabala
Satânicas palavras; tarde as lembra…
Mais tarde as balbucia… os pé se molham…
Vai sentindo afundar-se… em vão braceja…
Ruge a tormenta… súbito revolto
A juba monstruosa o mar encrespa,
E no abismo e no céu jogam madrias[12];
De encontro à *Rocha Negra* bravas ondas
O corpo arrojam da esquecida maga;
Debalde[13] a miseranda estende os braços;
Se à pedra quer ligar-se, as mãos lhe faltam,
Pelo dorso escabroso escorregando,
As unhas lasca em vão e fere os dedos;
Uma, dez, vinte vezes… sempre o mesmo,
Dúbia esperança, e desengano certo!…
Volve os olhos ao céu… cintila aurora;
Quebra-se à luz do sol de todo encanto;
Ai da fada gentil!… solta no espaço

10. *Tredo*: traidor; traiçoeiro, fingido.
11. *Olvido*: esquecimento.
12. *Madrias*: encrespamento de ondas do mar.
13. *Debalde*: em vão; inutilmente.

A nuvem protetora, mago asilo,
Vai fugindo a embeber-se no horizonte,
Como no mar imenso abandonada
Erma barquinha que a corrente alonga!...
Não pode mais com a vida... perde as forças...
Um derradeiro arranco... inda é baldado...[14]
Último foi: – abriu medonha boca
O pego vingador, e absorveu-a,
Dando-lhe cova aos pés da Rocha Negra.

V

Ninguém da maga diz que o corpo exânime[15]
Boiasse à flor das águas; um mistério
Foi sua vida, igual mistério a morte;
Contam muitos porém, que nas desoras
Das noites em que a lua aclara a terra,
No turvo cimo da tremenda rocha
Vem sentar-se a cismar branco fantasma;
Que tão profundos ais longos desata,
Como nunca exalará humano seio;
Que a frio gelador da rocha em torno.
Esse fantasma... é ela; e canta e chora,
E com pérfido choro e tredos cantos,
Os incautos atrai, que ao mar se arrojam
De súbita loucura arrebatados,
Ou por negros contratos se escravizam
Ao império fatal da Nebulosa.

VI

Verdade ou não da Nebulosa a história,

14. *Baldado*: fracassado; frustrado.
15. *Exânime*: desfalecido; morto.

Tem foros de encantada a Rocha Negra;
E se dos velhos não falseia crença,
Ai de quem lá subir noites seguidas
Três, em que a lua tremular nas ondas;
Tarde ou cedo catástrofe terrível
Da imprudência o castigo asselar[16] deve:
Quem ao perto navega arrisca a vida;
Se ao longe o mar é chão, ali referve;
Voga por isso o pescador de largo,
Benzendo-se a tremer, cai sobre o remo,
Faz voar a canoa, e a Deus rezando
Esconjura o poder da Nebulosa.

VII

E no entanto era noite; em pino a lua
Brilhante pelo céu se deslizava,
Céu e lua suaves derramando
Pálida luz, e orvalho de mistura;
Dormia a terra; as ondas murmuravam.
O tempo era sereno; mansa brisa
Lambia a face das tranquilas águas;
Chegava a hora que separa os dias,
– Meia-noite –; velava uma barquinha,
Dentro dois pescadores, que remavam,
Pirilampos do mar aos mil chovendo
Ao levantar dos remos; longe assoma[17],
Ao clarão do luar, feio, iracundo[18],
Da Rocha Negra o vulto pavoroso;

16. *Asselar*: confirmar; assegurar.
17. *Assomar*: mostrar-se; aparecer.
18. *Iracundo*: colérico; irado, furioso.

Do galo ouviu-se o canto; após silêncio;
Vela a barquinha; os pescadores mudos;
Dormindo a terra, murmurando as ondas.

VIII

De repente, qual sombra de um fantasma,
Humana forma volve-se na praia;
Ninguém viu donde veio e se aproxima;
Subiu a rocha; vagaroso e triste
De penhasco em penhasco foi saltando,
Galgou enfim da Rocha Negra o cume,
E em pé, soberba estátua, o mar contempla.

IX

"Ele ainda!..." murmura estremecendo
O pescador mais moço, e com um eco
O velho pescador repete "ainda!"

X

Quem é ele?... mistério; um mês volveu-se
Depois que no rochedo vez primeira
A sós velando a noite consumira.
Ninguém se lembra conhecê-lo outrora;
Há um mês apareceu, só, mudo e triste,
Do velho pescador buscou o abrigo,
E pediu mesa e leito a troco de ouro;
Retirado de dia, aos olhos todos
Furta-se cuidadoso; a ninguém fala,
Não quer ouvir ninguém; não diz seu nome;
Traja negros vestidos, rubra capa

Prende nos ombros; companheira eterna
Harpa sonora a toda parte o segue;
Nome lhe empresta o músico instrumento,
E de outro em falta *Trovador* o chamam.
Fora belo talvez, se estátua fora;
Mas dá-lhe a vida um perecer sinistro;
Pelos traços distinto agrada o rosto;
Carrancudo porém, sombrio e turvo,
O fel do coração nele transpira;
Alto e delgado não se dobra aos anos,
Mancebo ainda pisa firme a terra.
Tem pretos os cabelos, que lhe ondeiam
Sobre as espáduas; a elevada fronte
E o rosto pelo sol se vêm tisnados[19];
Ardem-lhe os negros olhos como raios,
E a graciosa boca é muda a todos.
Nas formas varonis se ostenta a força
De vigoroso braço afeito à luta;
Não é gentil no entanto, antes repele:
Ressumbra[20] em seu olhar desprezo ao mundo;
Da fronte no enrugar, dos supercílios[21]
No terrível franzir se apanha a ideia
De um coração inóspito pros homens;
Nos seus lábios às vezes um sorriso,
Que não é rir, que é onda de sarcasmo,
Confunde a quem o vê; não fala nunca,
E num véu de mistérios envolvido,
Vaga, escondendo ao mundo, que detesta,
Seu nome, seu viver, e a dor que abafa.

19. *Tisnados*: queimados; tostados.
20. *Ressumbrar*: transparecer; revelar.
21. *Supercílios*: sobrancelhas.

XI

Súbito aparecendo e inesperado,
Nunca mais se arredou daquela enseada;
Em vão refere o velho o caso infausto
Da Nebulosa; mal o atende e foge
O Trovador incrédulo ou sem medo:
Ave das noites nas desoras vela;
Rei dos penhascos tem seu trono erguido
Na Rocha Negra; esconde-se dos homens,
E ou nefanda traição tornou-lhe o mundo
Em báratro[22] fatal, ou crime horrendo
Envolto em feio crepe aos olhos todos,
Ele, algoz de si mesmo, oculta na alma,
Que a um tempo asila o crime e os seus remorsos.
Não quer consolações, que as não procura,
E sombrio volvendo o olhar sinistro
Pelo mar, sobre a rocha, ou fundo vale,
Como que busca, onde melhor o espere
Mudo jazigo de eternal descanso.

XII

A que fim buscou ele as brancas orlas
Destas águas? ninguém o soube ainda;
Chegou ao pôr do sol, e quando as trevas
E o silêncio reinaram na enseada,
Lá foi velar na rocha de má sina.
Desde então sempre as noites lhe são gratas
Na solitária penha repassadas;
Ou branda viração com as mansas ondas

22. *Báratro*: precipício; abismo; inferno (em sentido figurado).

Murmure hinos de amor, que ambas entendem,
Ou ribombe o trovão, lampeje o raio,
E com línguas de espuma o pego em fúria
Açoite as praias e impassíveis rochas,
Imóvel, como a pedra onde campeia,
O vulto misterioso lá se ostenta.
Se um remeiro novel[23] vem na barquinha,
Que ao longe pelas águas se desliza,
"Quem é?" pergunta, olhando o vulto imóvel,
E o pescador antigo impele a barca;
E diz tremendo – "o Trovador!" – e fogem.

XIII

Quem pudera arrasar vedado arcano[24],
Que se oculta por entre as rudes fibras
Daquele coração fechado aos homens?...
Talvez memória atroz de hórrido feito
Jaz encerrada ali, como a caveira
De um malfeitor em campa[25] não benzida;
Talvez mal pago amor (traição de ingrata)
Em fundo seio concentrado arqueja,
Qual pássaro ferido em ninho agreste
Oculto no rochedo das devesas[26].
Ou remorso ou paixão, certo é que vela
Na rocha o Trovador acerbas[27] noites;
Às vezes, poucas, qual fluente arroio[28],

23. *Novel*: principiante; novato.
24. *Arcano*: mistério; segredo.
25. *Campa*: sepulcro; túmulo.
26. *Devesas*: arvoredo em terreno murado; defesa.
27. *Acerbas*: amargas; angustiadas.
28. *Arroio*: pequeno curso de água; regato.

Deixa correr sua alma em mar sereno
De tristezas tamanhas, que nem podem
Coar-se em pranto, mitigando as mágoas;
Às vezes, muitas, qual possesso, freme,
Vocifera, maldiz, argui[29], pragueja...
Contra quem?... não revela; quando fala
Sempre está só; mas teme-se dos ecos,
E o nome jamais rompe o mistério.

XIV

Meia-noite!... ei-lo está – talvez disséreis –
Num trono de granito o desespero;
Pelo vento estendida a rubra capa
Sobre o negro penhasco lembra a ideia
De sangue e morte em alma de assassino;
Soltos à brisa voam-lhe os cabelos,
Cinge a harpa de amor com o braço esquerdo,
Afaga-lhe com a destra as cordas mudas,
E medita, olhos fitos no oceano.

XV

Tranquilo estava o mar, formosa a noite;
Na lisa face do inconstante lago
Encantos move de auras ao bafejo[30]
De dormido oceano arfar pausado
Aqui côncavos sucos se afundavam,
Onde há bem pouco erguiam-se colinas
Cingidas dos jasmins de nívea espuma,
Que em fitas se estendiam; sobre as ondas

29. *Arguir*: acusar; censurar; argumentar.
30. *Bafejo*: sopro; brisa; expiração.

Brilhantes puros tremulavam raios
De namorada lua; fresca brisa
Pelas águas e praia, espaço e nuvens
Aromas recendendo se espargia[31];
Mansamente na areia a debruçar-se
Incessante beijava o mar, as praias,
Trocando as fúrias em murmúrio afável;
Silêncio enfim… dormia a natureza.

XVI

E o Trovador velava; aos meigos sonhos
Que se desfiam sem dormir de uma alma,
Barquinha solta em mar de fantasia,
O mancebo infeliz se abandonava.
Menos triste quiçá e alheio ao mundo,
Banhando em risos no futuro a vida,
Ou do passado a ruminar saudades,
Ao menos de um presente, mágoas todo,
Se esquecia uma vez.

XVII

Longas passaram
Horas de um meditar não tormentoso;
De súbito porém, qual se acordara
Na mente desleixada um pensamento
De infernal poderio, estremecendo
Do mar o Trovador arranca os olhos,
Onde fuzilam vingativos raios;
Toldam-lhe o rosto contrações violentas,

31. *Espargir*: espalhar gotículas de um líquido; borrifar; disseminar.

Sobre a rocha despreza a harpa inocente,
Com as vistas mede a terra, o céu invade,
Profunda o mar, e enfurecido brada:

XVIII

"Oh natureza! minha dor insultas!
Na tua placidez leio um sarcasmo;
Abomino-te assim, amo-te horrível.
Que quer dizer um mar que não rebrame[32],
Uma terra que nada em luz de encantos
Um céu que tormentoso não ribomba[33],
Quando no coração temos o inferno?...
Oh!... mil vezes o horror e a tempestade!
Apraz-me em guerra ver a natureza
Abalada em elos mais profundos,
A terra, o céu, o mar rugindo a um tempo.
Do mundo escárnio, preso aos pés do mundo,
Eu sou como esta rocha estéril, negra,
Zombaria do mar, e exposta às vagas;
Desgraçado aborreço a dita[34] alheia,
E ouço meus hinos no chorar dos homens!
Sim! o raio! a serpente do horizonte,
Que coriscante morde e rompe as nuvens;
Os trovões a bramir, tigres do espaço;
As montanhas do pego embevecido
Nas praias se quebrando, e branca espuma
Do rochedo atirando a face turva;
O vento impetuoso em mil refregas[35]

32. *Rebramir*: ressoar; gritar.
33. *Ribombar*: estrondear como o som de canhões ou trovões.
34. *Dita*: felicidade; ventura; boa sorte; destino.
35. *Refrega*: rajada de vento; luta.

Gigantes da floresta arrebatando
Pelos ares que raios incendeiam,
Para açoitar as nuvens com seus ramos
Que orgulho foram da vetusta[36] selva;
Sim! o raio… os trovões… o pego… os ventos
Ao som da tempestade alçam meus hinos."

XIX

Parou, cedendo da fadiga ao peso;
Ansiado respira; ao furor segue
Silêncio longo; no sombrio rosto
Como que vêm as mágoas enrugar-se
Do coração vazadas; pouco a pouco
Em ondas a tristeza a face invade,
E com mais calma e comovido acento
Repassado de dor outra vez fala:

XX

"O riso alheio amarga aos desgraçados,
Minha alma, envolta em crepe, escarnecida
Se viu nas galas que trajava o mundo;
Cegou-me a dor; maldisse a natureza.
Fui injusto, e é injusta a humanidade;
Menino grande, o homem de erro em erro
Passeia a terra, maus caminhos segue,
Tropeça e cai, o mundo o amaldiçoa,
O fado[37] culpa e a si nunca se acusa.
Que é o fado?… um sonho; vã quimera.

36. *Vetusta*: muito velha; antiga.
37. *Fado*: destino; sorte.

Deus em nossa alma a liberdade acende;
O resto a nós compete; a inteligência
Do falso discrimine o verdadeiro;
Prudente estude o bem, e livre o siga
O homem na vida; tropeçar na estrada,
Tombar no abismo prova só fraqueza;
Demonstra um erro, imprevidência ou crime.
Feitura nossa, e não filha do acaso
É a desgraça; nossos pés a buscam,
Afagada por nós a nós se chega,
Imprevidente o nosso seio aquece;
E quando a víbora morde, praguejamos
Com vãos arrancos de vaidade estulta.
Oh! longe as maldições!... e tu, formosa,
Plácida lua, que no céu resvalas,
Teus raios melancólicos derrama
Em minha fronte, inspira-me harmonias;
Ondas serenas, compassai meus cantos;
Propícia noite, com teu véu me esconde,
E acolhe esta aflição que foge ao mundo.
Oh que é doce chorar! – Que é da minha harpa?
Vem, oh vem, minha eterna companheira!
Vem, amiga fiel, que me traduzes
Em acordes as mágoas."

XXI

Brandamente
O Trovador, qual pai à filha amada,
A fiel companheira, harpa querida,
No seio aperta e lhe vibrando as cordas,
Desfia em voz sonora um eterno canto,

Que nas asas dos zéfiros[38] levado
Desdobrou-se por sobre as mansas ondas.

I

"Eu vi-o dos anos no viço brilhante
Passar, qual guerreiro que vai triunfante
Colher altos prêmios que em justas ganhou;
Eu vi-o cercado de amor e delícias,
Gozando as maternas infindas carícias
Na pátria formosa, que louco deixou.

II

"Eu vi-o imprudente pro mundo a sorrir,
Saudando anelante[39] o incerto porvir,
Que tristes acasos talvez lhe trará;
E as damas que o viam galhardo passar,
Diziam curvando modestas o olhar:
Mancebo mais nobre, mais belo não há.

III

"Mas qual gênio tredo, que encanto, que fada,
Da mãe carinhosa, da pátria adorada
Arranca o mancebo donoso[40] e feliz?...
Acaso extremar-se foi ele nas guerras?...
Se alguém dele o soube, de certo não diz.

38. *Zéfiros*: divindade da mitologia grega, Zéfiro personifica o vento do ocidente. No plural, é imagem para ventos suaves e frescos; aragens; brisas.

39. *Anelante*: desejoso; ansioso.

40. *Donoso*: elegante; gentil, garboso; gracioso; belo.

IV

"Eu vi-o – já triste pro mundo não ria –;
Em barca sinistra nas praias fugia,
Às vagas dizendo conjuros fatais;
Depois a borrasca tremenda bramiu,
Cerrada caligem[41] à barca encobriu,
E o fim que ela teve ninguém soube mais.

V

"E vós, pescadores, que as ondas sulcastes,
Dizei-me, nos mares jamais encontrastes
O louco mancebo que nunca voltou?...
E um velho barqueiro que a pouco chegara,
Erguendo a cabeça tristonho me encara,
Se afasta dos outros, e assim me falou:

VI

"Eu vi um mancebo que a dor consumia,
Bem longe vagando nas brenhas[42] de dia,
E à noite velando na rocha ao luar;
Seus males, seus planos, esconde inflexível,
Mas sei que por negro destino terrível
A morte o espera no fundo do mar."

XXII

De cansado parou; mas dedilhando
A harpa sonora com o quebrar das ondas,
Com as doces auras que sussurram brandas,

41. *Caligem*: nevoeiro espesso, escuridão; trevas.
42. *Brenha*: mata espessa, cerrada; matagal, selva.

Acordes sons dormentes se harmonizam,
E aos poucos vão morrendo difundidos
No espaço imenso da solidão profunda.

XXIII

Aos meigos raios da brilhante lua,
Malgrado o véu da noite, luz e terra
Com pálidos encantos graciosa
Como um rir melancólico de virgem.
Amor da solidão reina o silêncio.
Dos pescadores fora-se a canoa;
Somente como à rocha encadeado
Moderno Prometeu[43], firme persiste
Mísero Trovador; em si só vive,
Exclusivo o absorve um pensamento,
E em tão profunda introversão se abisma,
Que nos tormentos da alma concentrado
Pro mundo exterior é corpo inerte.

XXIV

E então da longe duvidosa sombra,
Qual mágico batel[44], ficção de um sonho,
Cisne que nada em mar de encantamento,
Rompendo as névoas da orvalhada noite,
Vem surgindo imprevista, inopinada,
Leve barquinha; de coberta é livre;
Garça que à tona d'água o voo estende

43. *Prometeu*: titã da mitologia grega; roubou o fogo que Zeus negara aos homens para dá-lo a eles. Por isso, foi acorrentado num alto penedo, onde uma águia devorava-lhe o fígado (que se refazia à noite) todos os dias.

44. *Batel*: barco pequeno; bote; canoa.

Como um véu de odalisca alveja à lua;
Não traz remeiros nem desfralda ao vento
A vela, asas do nauta[45], amor das auras;
Brando remo que impele e rege a um tempo
O noturno batel, maneja um vulto
Que a sós navega, qual sabida maga
Que o mar passeia em concha alabastrina[46].

XXV

Não é de pescador a ignota barca,
Que quer ali tão tarde assim tão branca?...
Mistério imprimem nela a cor e a hora,
E esse quem quer que é tão solitário,
Que cauteloso e mudo piloteia.
Da longe sombra já desfeito o encanto
Mais se distingue o vulto; brancas vestes
Gracioso traja; longas, belas voam
Bastas madeixas ao soprar das auras.

XXVI

O noturno batel segredo envolve;
Inquieto vaga perturbando as ondas
Sempre da rocha em torno e acautelado,
Ora dela se chega, ora lhe foge,
Qual travessa menina vergonhosa
Que correndo ante nós nos desafia
A seguí-la e abraçá-la. Não se move
O branco vulto que maneja o remo,

45. *Nauta*: navegante; marinheiro.

46. *Alabastrina*: de alabastro (espécie de pedra muito branca e translúcida).

E no jovem que cisma, de olhos fitos
Rodeia a rocha recortando as águas.

XXVII

Do peito doloroso arquejo
O infeliz Trovador. Silêncio longo
Como estátua o deixara, imóvel, mudo,
Olhando as vagas que a seus pés batiam.
De novo se entorna em sonoroso canto;
E todo entregue à dor nem vê tão perto
O branco vulto que o batel demora.

"Pescador que me vês no rochedo
Solitário de noite velar,
Que te importa este pranto que eu verto,
Que te importa meu negro pesar?
Minha dor é segredo profundo,
Que ninguém saberá neste mundo."

E como um eco que repete um canto
O branco vulto ao Trovador responde:

"Tua dor é segredo profundo
Que só eu saberei neste mundo."

XXVIII

A voz estranha o Trovador suspende
Arpejo e canto; indaga o mar com as vistas,
Embebe os olhos na alvejante barca
Que pelas ondas outra vez doideja,
E com voz abafada remurmura:

XXIX

"Ei-lo ainda! o batel vela comigo!...
Com três noites já, vem perturbar-me
Hoje de novo: conceder não querem
Nem mesmo a solidão ao desgraçado!...
Vem rir-se aos olhos meus de meus martírios,
As fases repetir que a dor inspira,
E num tom que ainda mais a dor provoca.
De mim zombam, mercê de mar e trevas:
A voz é de mulher; – o instinto a guia
Para zombar do homem; não importa...
Soframos tudo: é sofrimento a vida".

XXX

E enquanto a nívea barca sulca as ondas
De longe em torno a rocha que namora
Do Trovador o ânimo se acalma;
Dedilha a harpa que outra vez lhe fala,
A voz lhe acode, o canto se desata,
E a barquinha também outra vez para.

I

"Pescador, torna aos teus que deixaste,
Não me busques, incauto mortal,
Minha boca respira ar de morte,
Os meus olhos têm brilho fatal,
Sou maldito que o céu reprovou,
Onde eu chego desgraça chegou."

E como um eco que repete um canto,
Logo e no mesmo tom a voz responde:

"És maldito que o céu reprovou,
Onde chegas desgraça chegou."

II

"Pescador, breve fujo a teus mares,
E de um mundo que horrores encerra,
Fugir devo e nem mesmo aos abutres
Deixarei meu cadáver na terra.
Corpo, nome e segredo guardar
Vou nos fundos abismos do mar."

E como um eco que repete um canto
De novo ao Trovador responde o vulto:

"Corpo, nome e segredo guardar
Vai nos fundos abismos do mar."

XXXI

Súbito pensamento invade a mente
Do noturno cantor; suspende aos ombros
A harpa, deixa presto a *negra rocha*;
Salta de pedra em pedra e desaparece
Qual se fugira ao bateleiro[47] ousado.

XXXII

Longa hora passou; a rocha nua;
Silêncio em toda parte; audaz barquinha
Vagando louca; vulto que a dirige
Misterioso a devassar com as vistas

47. *Bateleiro*: condutor de um barco (batel).

A praia, o campo, as penhas, simulando
A ligeira gazela e temerosa,
Que astuto caçador de longe espreita;
Por fim como ao terror cerrando o peito,
Abica[48] a praia, prende a leve barca,
E com segura marcha vai subindo
A *negra rocha*.

XXXIII

De repente surge
O Trovador que inopinado avança;
O passo toma ao vulto, que se arreda;
Alonga os braços, quer prendê-lo, e para
À voz potente que lhe agita os nervos.

XXXIV

O Vulto

"Treme se audacioso a mim te chegas
A meu despeito! – encantos me defendem;
Menos sou deste mundo do que cuidas,
Fala de longe se falar pretendes."

XXXV

Tinha a bravura no semblante impressa
O Trovador; mas sem querer vacila
Ante o vulto que impávido lhe fala
Um momento passou, presto serena,
E com seguro acento enfim pergunta:
"Quem pois és tu?"

48. *Abicar*: encalhar a embarcação na areia da praia.

XXXVI

Um passo recuando
Estende um dedo de cristal mimoso
O branco vulto: o fundo mar aponta,
E com pausada voz, trêmula e baixa,
Responde assim:
"Pertenço à Nebulosa."

Canto II
A Doida

I

Não longe da enseada, em vale escuro,
Há uma densa e tenebrosa selva;
Cavou ali a natureza um antro
Tão negro e vasto que terror infunde;
Servira outrora de covil às feras,
Povoaram-no após os maus espíritos
Segundo creem, fora enfim o asilo
De astuta feiticeira; os pescadores
Contam ainda formidáveis casos
Que muitos viram; velha hirsuta[1] e feia
A maga era; mas sabida em artes
De necromancia[2] que o demônio inspira:
Um pacto havia entre ela e a Nebulosa:
Previu futuros, desnudou arcanos,
Até que um dia embalde a procuraram:
Dizem uns que a voar por entre as nuvens
Perdera-se no espaço, e lá suspensa
Em castigo vagando em torno à lua
Vela chorando pelo mal que há feito,

1. *Hirsuta*: descabelada; com a cabeleira arrepiada. Em sentido figurado: pessoa áspera, de temperamento intratável.
2. *Necromancia*: feitiçaria para que os mortos revelem o futuro.

Ou de borrasca[3] nas tremendas noites
Ulula[4] exasperada; outros pretendem
Que em desoras de um sábado saltará
Da *negra rocha* para morrer nas ondas.
Certo é que sumiu; mas sobre a terra
Só, sem amparo, desditosa filha
Deixando penando; de que vale beleza?...
É moça e linda, fulgem-lhe[5] os encantos;
Mas, ai da triste! endoideceu no berço.

II

Causa dó vê-la! Julga-se encantada
E cara à Nebulosa; ninguém sabe
Que faz de dia; quando a noite chega,
Foge do antro e vela o mar sulcando.
Tem um leve batel branco e ligeiro,
Onde ela só e mais ninguém se embarca;
Crê-se feliz e espera mil venturas
Depois da morte, no entretanto chora;
Não diz por quê; um padecer constante
Tudo anuncia; mostra-se abatida,
Pálida, triste e não se queixa nunca.

III

Aquele vulto que o batel deixara,
Da Doida era: peregrina em tudo,
Como nas vestes, singular nos modos.
Madrasta não lhe fora a natureza;

3. *Borrasca*: tempestade com rajadas de vento e chuvarada.
4. *Ulular*: uivar; gritar com desespero.
5. *Fulgir*: brilhar.

Tem castanhas madeixas e tão longas,
Que soltas como um brinco dado às brisas,
Qual densa escura nuvem, colo e seio
E os braços nus em seu volver escondem;
Surge de entre elas rosto gracioso,
De enlevadora[6] palidez assento.
Malcabido[7] senão, mancha que enfeia
De negra cor na branca e lisa fronte,
Bem no meio aparece; e os olhos belos,
Às vezes ternos, outras radiantes,
Vagando agora, daqui a pouco fixos,
Terríveis como o olhar moribundo
Que em nós se embebe, um não sei que desprendem
De encanto ou de loucura; a face ebúrnea[8]
Rosas não tem, ou já rosas murcharam:
É dos seus lábios o sorrir tão triste
Que nem é rir, e mais do que uma lágrima
Exprimia a dor; de neve o seio,
De neve os braços, de cristal os dedos,
E a mão que alveja, como os pés, mimosa;
De nobre altura, e por demais delgada,
Desperta a ideia de um sofrer profundo
Que vai mirrando e consumindo aos poucos;
Longa túnica azul que a cor imita
De um céu todo bonança, traz vestida,
Na cintura uma fita ao corpo a une,
Cai-lhe do colo e pelo chão se arrasta.
Sandálias calça; sobre a simples veste

6. *Enlevadora*: encantadora.
7. *Malcabido*: incompatível; inadequado.
8. *Ebúrnea*: alva como o marfim.

De ofuscante candor[9] lança uma capa
Vasta, que sobra para envolvê-la toda.

IV

A sua voz é doce e maviosa[10],
Seu estilo obscuro e desusado,
Inconsequente às vezes, quase sempre
Falar de louca. Em seu semblante nadam
Vagos afetos; seu olhar doideja
Ora altivo no céu; depois baixando
Como que sonda o abismo do oceano;
Diríeis que o sonhar com a eternidade
De lá descera a procurar um túmulo.
Não anda, não; é resvalar de sombra
O volver de seu vulto; em torno dela
Recende tudo encantos: vaporosa,
Impalpável talvez a julgaríeis
Não ser deste mundo... *ser* de alheia esfera.

V

Malgrado seu, dois passos recuara
O Trovador que ouvira-lhe a resposta.
E embevecido, fitos nela os olhos,
Ficou; também a olhá-lo docemente
Deixa-se a pobre doida, e em suas vistas
De tão ternas que são, tão maviosas,
Parece brando afeto derramar-se,
Como orvalho sutil que o céu transpira;

9. *Candor*: brancura; pureza (em sentido figurado).
10. *Maviosa*: harmoniosa; melodiosa.

Melancólico riso que faz pena
O contemplá-lo só, lhe expande os lábios;
Depois de muito volve em torno olhares,
Talvez buscando mais alguém, e fala
Ela primeira ao Trovador absorto.

VI

A Doida

"Contigo estava alguém..."

O Trovador

"Não, tu te enganas;
Ninguém se atreve a compartir-me as dores."

A Doida

"És tu que intentas iludir-me; sempre
Que a voz modulas sobre a Rocha Negra,
Com teu canto outro canto se mistura.
Não sei que é, mas sei que alguém te segue;
Hei de sabê-lo a pesar teu, se o negas."

O Trovador

"E quem te contaria?..."

A Doida

"A Nebulosa."

O Trovador

"Demais confias no poder das fadas.
Não vás tentar de uma ilusão cativa

Ouvir um morto; que loucura indica:
Eu velo solitário."

A Doida

"Por que mentes?...
Já três vezes, afora a noite de hoje,
Ambos vos tenho ouvido; até na sombra
Também já distingui estranho vulto
Em teu seio inclinado, apraz-me ouvi-lo;
Não lhe entendo o falar, mas doce fala;
É a voz e a expressão própria de um anjo!
Dizei quem é: uma mulher!... duvido
Que amada seja, pois bem sei que amas.
Desejo ouvi-lo... eu gosto da pureza,
E voz mais pura nunca ouvi no mundo;
São suas frases vibrações sonoras
Que na alma entornam mágicos deleites;
Se o favônio[11] falasse era um favônio
A derramar finezas sobre as flores;
Teu canto é doce, Trovador, mas esse
Não é cantar de humano. Vai chamá-lo,
Mulher ou anjo... pouco importa, eu quero
Ouvi-lo ainda, inebriar-me ouvindo."

VII

Percebe o Trovador da Doida o erro;
Corre a buscar a harpa que escondera,
Traze-a nos braços como a filha amada

11. *Favônio*: nome romano da divindade grega denominada Zéfiro. Ver nota 38 ao Canto I.

Um extremoso pai, e diz mostrando-a:
“Eis quem me segue, quem me entende e ama!”

VIII

Maravilhada, o músico instrumento
Contempla a Doida, como temerosa
Recua um passo, logo a rir-se alegre
Vem-se chegando; duvidosa ainda
Estende o braço, que outra vez recolhe,
Até que se anima… com suave destra
Palpa-lhe as cordas e o examina todo,
E sem que os olhos volva enfim pergunta:

IX

A Doida

“Nem anjo nem mulher!… – Como é seu nome?”

O Trovador

“Harpa.”

A Doida

“Mal-escolhido… não me agrada,
Não lhe exprime a doçura; ouve, mancebo,
Vamos dar-lhe outro nome; doravante
Chamá-la-emos nós – *amor que fala.*
Fazei-a cantar…”

X

O Trovador harpeja,
E muito tempo extasiada escuta
A pobre Doida; nos seus lábios rompe

Um rir que é novo ali, que é todo enlevo;
Depois dos olhos lágrimas borbotam,
O riso e o pranto se misturam; súbito
O Trovador suspende, e arrebatada
Beija as mãos do mancebo, e as cordas da harpa
Uma… cem… vezes mil, como em delírio,
E a rir ainda e a chorar exclama:

XI

A Doida

"Oh! basta!… basta! é muito! eu mais não posso!
No excesso do prazer a alma se afoga!…
Deixa beijar-te as mãos! tens mãos de um anjo
Movendo o canto desse – *amor que fala*!
Ouve; uma graça almejo merecer-te;
Oh!… deves-me a fazer… muito me deves!
(O que não digo que me o inibe o pejo[12]);
Escuta: é meu destino aqui na rocha
Vir murmurar extremo adeus ao mundo;
A Nebulosa o quer e o mar me espera;
Raios da lua escreveram nas ondas
Fúnebre aviso; na prefixa noite
Virás, mancebo, te encontrar comigo;
Hás de ver-me sem dor do túmulo à beira
Mirar-me nele me espelhando na água:
Da morte a hora é hora de triunfo;
Devo, quero morrer entre harmonias,
E ao som dos cantos desse *amor que fala*
Ir ter com a Nebulosa. Eis quanto peço;
Juras servir-me?…"

12. *Pejo*: vergonha; pudor.

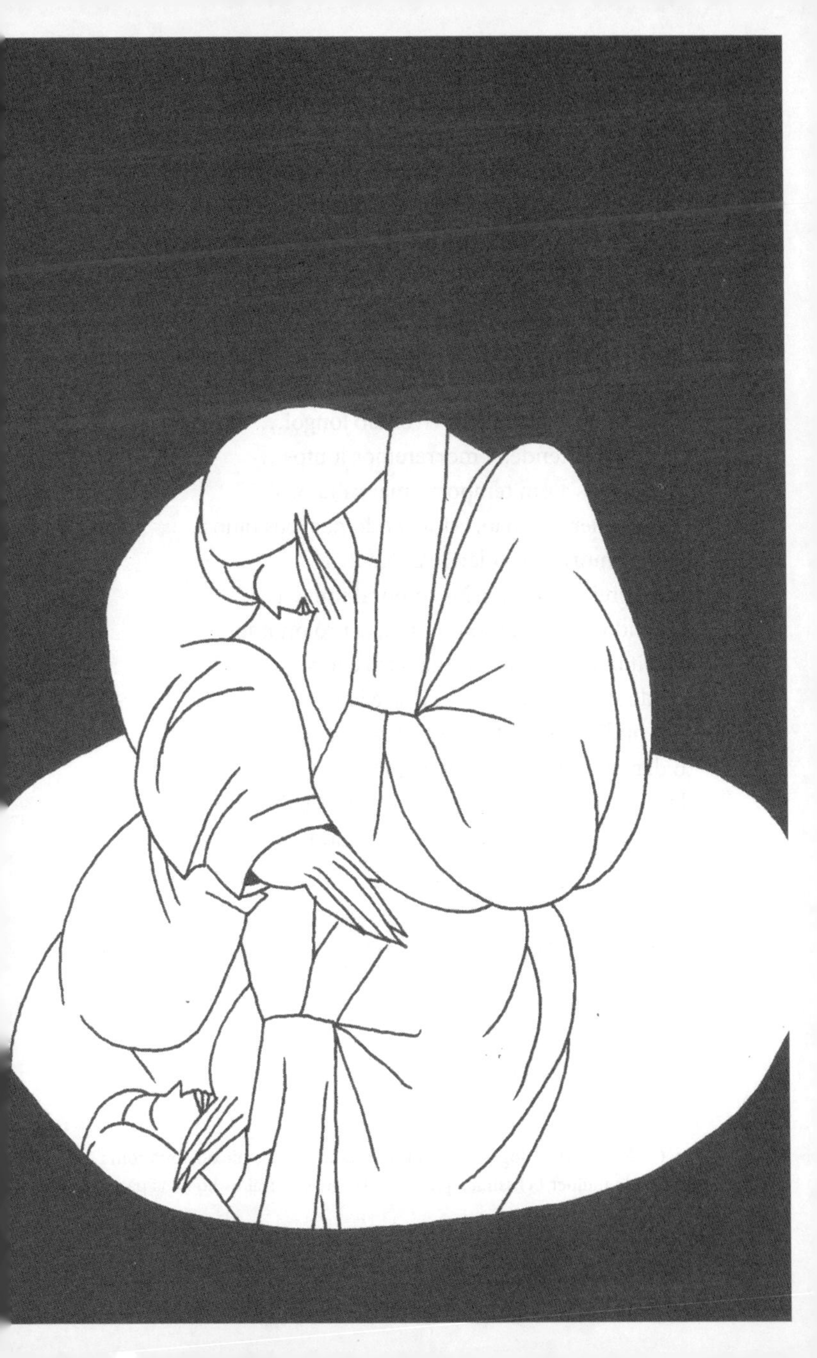

O Trovador

"Ah! mísera! quem sabe
Se antes que a ti me tragarão as ondas!..."

A Doida

"Tens razão: por demais te pesa a vida;
Sei bem que negra ideia na alma turva
Como a ave das trevas te esvoaça:
Também me cansa este viver tão longo!...
Mancebo, atende: – morreremos juntos...
Abraçados a um tempo ao mar saltamos!
– Não queres... não, estou lendo nos teus olhos,
Até na morte a solidão te agrada!...
Não terei cantos pois! – embora! um dia,
Quando eu no fundo mar morta pro mundo,
Habitando em palácios de ouro e fogo
Onde se hospedam Nebulosa e lua,
For ondina[13] feliz, hei de pedir-lhes
E dar-me-ão elas um *amor que fala*,
Das cordas saberei mover-lhe as frases;
Sem aprender, os mortos sabem tudo."

O Trovador

"Desvarias falando!... quem és?... dize."

A Doida

"*Doida* me chamam! tenho bem juízo."

13. *Ondina*: nas mitologias germânica e escandinava, gênio ou ninfa com aparência de mulher belíssima, que vive nas águas e atrai os homens para o fundo.

O Trovador

"Não queres responder-me?"

A Doida

"Eu digo tudo,
Quem sou, quem és, a tua história e a minha."

O Trovador

"Impossível!..."

A Doida

"Escuta: sobre a rocha
Inclina o *amor que fala*; vem sentar-te
Ao pé de mim... aqui, nada receies;
Quando me apraz sei refrear encantos,
Nem tenho em mente o emprego de magias.
Desejo ouvir-te, e me ouvirás primeiro."

XII

Da Doida ao lado o Trovador sentou-se,
E de enleio[14] indizível possuído,
Ouve em silêncio reloucada história.

XIII

A Doida

"Não quero sobre ti ter predomínio
Algum que seja; a vida te conheço,

14. *Enleio*: encanto; atração.

E nem sabes quem sou!… pois vou dizer-te.
Nasci num antro de medonha selva
À meia-noite, e ao rebentar de um raio;
Num berço me embalei agreste e rude
De bravos cardos[15] e de sarças[16] feito;
Adormeci ao sibilar das serpes[17]
Primeiro sono, minha mãe tão pobre
Que nada tinha, misturou soluços
Com os meus vagidos[18]; foi pedir esmolas,
Nada lhe deram, colheu só vergonha
Em vez de pão!… desesperada foge
Nos ombros me levando, e três seguidas
Noites velou em que brilhava a lua
Aqui sobre esta rocha; na terceira
Surge das ondas branca e vaporosa
Pálida virgem… sobe a Rocha Negra…
Chamas dardeja[19] no fitar dos olhos…
E formas simulando graciosas,
É sombra apenas que não gasta espaço.
A Nebulosa era.

– Porque choras?…

Meiga pergunta; e minha mãe responde:
– Choro as misérias de uma vida ingrata;
Trabalho um ano para comer um dia!
Mirrados tenho já maternos seios;
Vai morrer minha filha.

A Nebulosa,

15. *Cardos*: plantas espinhosas.
16. *Sarças*: arbustos; mato.
17. *Serpes*: serpentes.
18. *Vagido*: choro da criança recém-nascida.
19. *Dardejar*: lançar; emitir.

Olhar de tigre em minha mãe cravando,
Faz-lhe a fronte curvar e a enleia toda;
E enfim lhe torna:

– Mudarei teu fado;
Sou das magas rainha; em corpo e alma
Mãe e filha a meu culto consagradas
Terão em paga proteção de gênios,
E dos encantos tenebroso ensino;
Vê se te agrada.

Refletir tentava
Mísera mãe, quando um vagido escuta
Que solta a filha a procurar-lhe os seios;
Nubla-lhe a mente o padecer da prole,
E em pranto exclama: – decidi: sou tua!...
Um sorrir de triunfo abre nos lábios
A Nebulosa; voa pelos ares
E não tem asas, vai dançar nas ondas
E não se molha; brada como louca:
– Ainda mais duas!...

E outra vez tornando
À Rocha Negra, por favor do encanto
Que hoje desnublo[20], dentre as fibras rudes
Do sinistro penhasco vem surgindo
Vapor sulfúreo que envolvendo a fada
A nossos olhos pouco a pouco a esconde;
Da tempestade o gênio obumbra[21] a terra
Com as madeixas de nuvens crespas, negras,
Pelo espaço e nos montes espargidas[22];
Ruge o mar... Troa o céu... e de repente

20. *Desnublar*: esclarecer; revelar.
21. *Obumbrar*: ensombrecer; escurecer.
22. *Espargida*: espalhada

Radiosa, inflamada, qual se ardesse
Em chamas toda, já desfeito o fumo
Que ainda há pouco a envolvera, a Nebulosa
Como um astro resplende na enseada
Que luz ao fogo, que a magia acende;
Não para... vem de um voo, onde a nós ambas
Estáticas deixara; e em nossas frontes
Ardente beijo de inflamados lábios
Deixou cair, como centelha horrível:
Volta aos ares depois: é meteoro
Que arroja incendiado labaredas;
Negras aves doidejam pelos ares
Sinistras a piar, gritos se escutam,
Gemidos, vagam sombras espantosas,
Monstros informes, nuvens se abalroam[23],
Pesada atmosfera e sulfurosa
Sufoca o mundo: escuta-se nos ares
Bramir trovões, a tempestade ruge,
Estala o raio, dobra o mar as fúrias,
E a Nebulosa a desatar risadas
Longas, ruidosas, some-se... mas onde?...
Não pôde vê-lo minha mãe, e eu menos,
Ainda criancinha...

Éramos fadas."

XIV

"Mudou nosso destino. O encantamento
De repente assombroso em nós fulgia:
Minha mãe desde então, e eu dentro em pouco,
Mal dos vestidos infantis despi-me,

23. *Abalroar*: chocar-se; colidir com violência.

Pudemos sábias predizer futuros,
Sonhos interpretar; éramos fadas:
Nada aprendemos e soubemos tudo.
Homens, mulheres consultar-nos vinham
Ao antro escuro: por conselhos magos
Pagavam ouro; tínhamos riquezas;
Dentro de nós porém o inferno estava:
Da Nebulosa aquele fatal beijo
Foi do demônio em marca transformado:
Não vês na minha fronte a nódoa negra?...
Deixou-me o beijo dela: é nódoa horrível!...
Mancha-me o níveo rosto e um fogo ateia
Que inextinguível me devora o seio!
Afeia...[24] pesa... queima... oh! nunca a tenhas;
Nada pode lavá-la: é um castigo
Do céu por sermos fadas."

XV

Tristemente
A Doida curva dolorosa a fronte,
Onde entre lírios negrejava a nódoa,
Marca sinistra, que selará o beijo
De esconjurada maga.
Condoído
O Trovador seus males olvidava
Ante a infeliz tomada de loucura;
Muito se deixa contemplá-la mudo;
Por seus próprios pesares ressequido
Já consolar nem sabe!... em seu semblante
E no olhar triste a compaixão nadando
A mísera percebe e diz sorrindo:

24. *Afeiar*: tornar feia.

XVI

A Doida

"Doida me julgam?... tenho bem juízo!
De mim duvidas?.. crês que eu desvario?...
Escuta: eu nunca minto; a Nebulosa
Mora lá embaixo num palco de ouro,
No fundo do mar, é sua amiga a lua,
Ambas se adoram; não tens visto às vezes,
Depois de navegar no mar do espaço,
Plena lua entre as ondas mergulhar-se?
Vão juntas pernoitar no fundo abismo,
Num céu de encantos, que povoam fadas;
Tem lá festins, banquetes, maravilhas,
Onde entre chamas, que não queimam, fulgem.
Oh! que um dia também (breve ele chegue)
Como fada que sou, serei com elas!...
Minha madrinha, a Nebulosa, o disse;
Sua dileta sou, na extrema hora
Há de arrancar-me de assassinas vagas,
E levar-me consigo ao céu das águas;
Com lírios do oceano, undosa[25] espuma,
Virão lavar-me festivais donzelas
Da fronte a mancha que meu rosto afeia;
Dar-me-á riquezas... leito só de flores...
Fulgentes vestes... um *amor que fala*,
Irmãs galantes... Homens lá não entram,
Nem tu que és belo e pálido como ela.
Hei de aprender mistérios mais profundos;
Virei dançar nas ondas sem molhar-me,

25. *Undosa*: ondeada.

E sem asas voar por entre as nuvens.
Como serei formosa!… em minha fronte
Não haverá mais nódoa: eu te prometo
Velar então por ti, se ainda viveres."

O Trovador

"Vives num mundo de ilusões perdida!
Nunca existiu a fada que imaginas.
Já viste, porventura, a Nebulosa?…"

A Doida

"Se a vi… se a vejo? em toda parte! oh! sempre!
Vi-a primeira vez ao dar-me o beijo,
Ardente lava manchou-me a fronte,
Bem criança que eu era, e ainda me lembro!
(Força de encanto que a memória exalta!)
Beleza de anjo em formas impalpáveis,
Vestidos cor de leite em corpo aéreo,
Corpo aos olhos somente, ao tato sombra,
Eis como a vi então, depois mil vezes;
Mas só de noite a vejo, a sinto, a escuto;
Quando aos lábios do mar na areia vires
De algum ligeiro pé vestígios leves,
Foi ela que passou; se lá no espaço
Alguma nuvem branca vaga errante
Em torno à lua, ou coroando os montes,
Vai ela nessa nuvem; se ouves perto
O sussurrar das desinquietas ondas,
Que ali se abraçam borbulhando espuma,
É ela que murmura; em toda a parte,
Em tudo e sempre a Nebulosa eu sinto;
No mar, no céu, no ar, na terra a vejo;

E me fala também, se, em caso estranho,
Conselhos quero da primaz das fadas."

O Trovador

"Como te fala então?..."

A Doida

"Sempre escrevendo:
Toma da lua um raio, e sobre as ondas
Escreve muito tempo, e jamais erra."

O Trovador

"Que idade tens?..."

A Doida

"Eu sou bem nova ainda;
Se os anos como vós contar devesse,
Vinte contaria; mas a nós, as fadas,
Que importa a idade?... somos sempre moças."

XVII

Em silêncio profundo ambos se engolfam:
O Trovador medita, refletindo
Em tantas graças, que a loucura perde;
Enquanto a Doida transportados olhos
Esquece sobre um rosto, onde mil vezes
Tem já corrido amargo pranto; há fogo,
Há mais que afeto brando a desatar-se
Naquele olhar tão preso: há como uma alma
Que nos olhos se entorna, e deles foge
Por encanto indizível atraída:

A Nebulosa e as fadas já nem lembra;
Do coração transpira oculto arcano,
Toda se perde, mas do enlevo acorda
Súbito, ouvindo um suspirar ansiado,
Que escapa ao Trovador, e pronto fala,
Escondendo na voz o enleio da alma.

XVIII

A Doida

"E a tua história?..."

O Trovador

"A minha história é um livro,
Que se não abre às vistas dos humanos;
No meu peito o fechei, e há de comigo
No túmulo cerrar-se."

A Doida

"E eu li teu livro,
Tua história conheço, em parte, ao menos!...
Sei muito já, mas quero saber tudo."

O Trovador

"Já viste um tigre, e penetraste um antro?...
O tigre é meu sofrer, o antro meu seio;
Ninguém os viu, nem os verá, que eu velo."

A Doida

"Nem sei mentir, nem te enganar pretendo;
Uma palavra te resume a história;
Posso dizê-la; vê se o queres..."

O Trovador

"Dize-a."

XIX

Com terno olhar cravado no mancebo
A infeliz murmurou: "*Jamais!*"
Tremendo,
Com as mãos o Trovador os lábios cerra
Da pobre Doida, arqueja, desatina,
E clama enfim:
"Oh basta! basta! eu sinto
Que do demônio a mão no meu semblante
Imprimiu, como um selo, essa palavra!
É como a nódoa, que te mancha a fronte,
Da maldição e do desprezo a marca!..."

XX

Emudeceu depois, curva a cabeça,
Roça-lhe o peito a barba, e meditando
Como que a Doida esquece: enfim mais calmo,
E mais triste, também fala sentido:

O Trovador

"Mulher, quem quer que és, doida ou praguenta,
Frase de maldição disseste a pouco,
Quem te a ensinou?... responde."

A Doida

"E ao pensamento,
Quando o afogas nos prantos do passado,

Jamais, ah! dize! minha aflita imagem
Infante ou moça se mostrou sentada
Desse rio de lágrimas à beira?...
Nunca me viste?... nunca?"

O Trovador

"Sim: três noites
Já tenho ouvido a tua voz."

A Doida

"Mais nada?..."
O Trovador
"Onde podia eu ver-te?..."
A dor transborda
Da alma da louca pelo rosto em ondas;
Vem a seus lábios do martírio o riso;
Sinistro riso, que é descrer da terra!
Volta a cabeça e disfarçada enxuga
Lágrima insana, que um mistério envolve,
E enfim tremendo, mas depressa, fala.

A Doida

"Por que resistes?... não me ouviste franca?...
Teus pesares relata-me: consola
Verter a dor em fonte dolorosa,
E um amor confiar, que nos tortura,
A quem o compreende."

O Trovador

"Pois tu amas?!!!"

A Doida

"Qual é a vida que um amor não murcha?...
Não ama a lua o sol?... e a Nebulosa,
Que é rainha das fadas, não se dobra
À lei que rege os mundos?... – também amo.

O Trovador

"E és infeliz?..."

A Doida

"Escuta: já tens visto
Nas vagas do alto mar nauta perdido,
Que solta um grito, e não lhe acode um eco?...
Já viste no deserto a flor que pende
Sobre a torrente que a despreza e foge?...
Já ouviste o arrulhar de aflita pomba,
Que solitária geme?... Já notaste,
Como ante um desengano, uma esperança,
Vem aos beijos quebrar-se onda amorosa
Aos pés do rude e inóspito rochedo?...
Assim o meu amor!"

O Trovador

"E tu que és fada,
Que de encantos a ciência ostenta,
Não descobriste ainda um filtro amigo,
Que no seio te afogue amor tão fero?..."

A Doida

"Eu matar este amor?!!! – Que mãe já pode
O filho – que causou-lhe horríveis dores,

Que rouba-lhe o sossego, a paz, o sono,
Que quando sofre, a faz sofrer em dobro,
E que depois ingrato a desampara,
Velhinha e pobre – despregar da alma...
Oh!... quanto mais padece, mais o adora!...
Tal é amor: no coração se infiltra,
Mais se aprofunda, quanto mais nos punge:
Com a vida se mistura... é nossa vida.
Quem se peja[26] de amar, o mundo infama:
Ninguém pode vencê-lo: – é a lei do Eterno;
Curvam-se aos pés do amor as próprias fadas."

O Trovador

"Oh!... não és doida, não! – gênio benigno
És, que para animar-me o céu envia.
Orgulho de homem vão!... vergonha eu tinha
De um amor, que o desprezo envilecera;
Dever julgara denegá-lo ao mundo,
E comigo na campa adormecê-lo.
Agora não, eu falo: abriste as portas
De minha alma: ouve pois meu ímpio fado."

XXI

O Trovador

"Atrás daquela verde-negra selva
Há um formoso e pitoresco vale,
Onde nasci no seio da abundância;
Amavam-se meus pais, e o caro filho
Foi de ambos o enlevo; entre sorrisos

26. *Pejar*: envergonhar; recear; impedir.

E amantes beijos despontou-me a infância;
Guardavam-me consigo desvelados
Como mimosa flor, que ao sol se esconde.
Cresci longe do mundo, e a desejá-lo,
Sonhando a vida em lisonjeiro quadro
De arabescos brilhantes; na minha alma
Ardia o fogo, que alimenta o gênio;
Amava a Deus, meus pais, e a glória insana
Já de anelante no meu peito arfava.
Veio a mão do infortúnio desfechar-me
Primeiro golpe; a morte órfão tornou-me;
E através do pranto olhando a terra,
Ao lado de uma dor, e ante um sepulcro,
O mundo odiando vi-me preso ao mundo;
Vivi por minha mãe, meu pai chorando."

XXII

"Vinte anos contava; já não tinha
Olhar de pai, que imita a Providência
Velando sobre mim; dias e noites
No meu futuro em refletir gastava.
Por entre o pranto de viuvez mal pôde
Cuidar mísera mãe no filho amado.
Uma tarde, a cismar transponho a meta
De meus passeios, subo um monte e desço
A estranho vale; de repente paro
Escutando uma voz, qual nunca ouvira;
Oh! que foi perdição!… longínqua flauta
Na solidão saudades modulando
A horas mortas da noite; harpa vibrada
Por destras mãos da mais gentil donzela;
Zéfiro a sussurrar, fonte escondida

Que murmura no bosque… Oh! nada, nada,
Não é como essa voz: – cantava um anjo;
Amei… não soube a quem; se eu fora cego
Teria amado assim. Aproximei-me;
Vi… – novo encanto! – duvidei da terra,
Da vigília… e de mim; mas nem foi sonho,
Nem me achava no céu; era um prodígio;
Era uma virgem de esplendor divino,
Um sorriso de Deus humanizado,
Que Deus mandara por milagre ao mundo."

XXIII

"Em êxtases fiquei, imóvel, mudo,
Como ante uma visão; quando ao fugir-me
A incógnita formosa, acordar pude,
De joelhos me achei: – tinha-a adorado.
Desde então, qual novilho lastimoso,
Que vai sempre chorar tristes saudades
Onde morreu-lhe a mãe, irresistível
O coração leva-me a esse vale,
Em que perdera a paz; mas foi debalde!…
Ninguém concebe amor tão abrasado,
Nem tanta ingratidão num peito humano!…
Quando nos olhos meus brilhavam chamas
Do vulcão, que no seio aceso estava,
Da esperança apagavam-se os ardores
No gelo eterno da isenção tirana.
Quando, não mais conter o amor podendo,
Deixei-lhe ouvir primeiro ardente voto,
Primeira vez também – *Jamais* – me disse,
Jamais, que repetiu-me ainda mil vezes!…
Fraco que fui!… em vão busquei vencer-me;

Dobrava-me a paixão a má ventura.
Fiz-me dessa mulher mísero escravo;
Beijei a terra que seus pés calcavam;
Cobri de flores o relvoso assento
Em que pousava; ousei entalhar versos
Na mole casca da árvore frondosa,
A cuja sombra sesteava[27]: – embalde!...
Desfiz-me em novas, mais ardentes juras;
Tirei dos olhos seus ardor e fogo
Para acender-me as frases, ameiguei-as
Com lágrimas sentidas, e invocando
Deus, seus pais, a virtude e a paixão minha,
Pedi-lhe amor e fé, mas sempre embalde!...
Ganhei somente o gelo do silêncio,
Ou um – *Jamais* – que flagelava em dobro."

XXIV

"Este amor desgraçado imita a raiva,
Derrama o desespero dentro da alma.
Como louco vaguei... uma serpente
Feroz meu coração dilacerava!
Já extinta a razão de amor nas flamas,
Às vezes de um sorrir colhido a furto,
De um olhar mais piedoso, ou de um suspiro
No deserto exalado, a alma iludida
Forjava uma esperança que bem cedo
Frio gelo apagava: não dormia...
Morrer vinha-me à ideia... sempre em luta
Com esse amor fatal, da juventude
Murcharam rosas; pálido tornei-me,

27. *Sestear*: fazer a sesta; cochilar.

Loucura, ou desespero nos meus olhos:
Espantador espectro, fui falar-lhe
Ainda uma vez: era acusá-la mudo
Deixar-me ver assim desfigurado
Ainda no albor da vida tropeçando,
Ao pé do túmulo já!… entristeceu-se;
Animei-me, esperei e a voz soltando
Pedi-lhe amor e gratidão – e a bárbara
Só respondeu: – *Jamais!* – frase sinistra!…
É a sentença que à irrisão me vota."

XXV

"Minha esperança em hora de loucura
Caiu dos pés de Deus no caos do inferno.
Não longe, em fundo vale, e gruta horrível,
Vendia filtros e conselhos tredos[28]
Astuta feiticeira; procurei-a;
Entrei no antro e consultei a maga;
Minha história escutou: depois ansiado
Perguntei-lhe anelante o que podia
Aos meus votos de amor dobrar a ingrata:
Longo tempo cismou a feiticeira:
E enfim erguendo a fronte, disse – *louros*."

A Doida

"E viste alguém à entrada do antro escuro?"

O Trovador

"Pobre menina, que me ouviu chorando."

28. *Tredos:* falsos; fingidos; trapaceiros.

A Doida

"De que idade?..."

O Trovador

"Talvez tinha dois lustros."[29]

A Doida

"Tinha-os: prossegue".

XXVI

O Trovador

"Fé prestando à maga,
Fugi ao ócio e procurei batalhas.
Oh! deixei minha mãe!... tão só e enferma,
Filho ingrato olvidei dever sagrado:
Falsa esperança à ingratidão levou-me,
O desespero me acendia o ânimo:
Nenhum mais bravo; poucos tão ditosos
Houve como eu; a minha espada um raio
Aos inimigos foi; jamais vencido
Venci mil vezes; proclamou-me a fama
Herói guerreiro; de troféus coberto
Voltei garboso: da mulher que amava,
Corri aos pés, depus-lhe os da vitória
Imarcescíveis[30] louros; e em resposta,
Quando pedi-lhe amor – *Jamais!* – me disse."

29. *Lustro*: período de cinco anos; quinquênio. Portanto, dois lustros são dez anos.

30. *Imarcescíveis*: que não murcham, não perdem o viço, o frescor.

XXVII

"De novo a maga exasperado busco;
Lanço-lhe em rosto o pérfido conselho:
– Louros lhe trouxe! – brado-lhe –; e debalde,
Não tive amor! que lhe trarei agora?... –
Torna a cismar a feiticeira astuta;
E enfim erguendo a fronte, disse – *cantos*."

A Doida

"E viste alguém à entrada do antro escuro?..."

O Trovador

"Pálida moça a contemplar-me absorta."

A Doida

"Quantos anos teria?"

O Trovador

"Quinze."

A Doida

"É isso;
Prossegue ainda."

XXVIII

O Trovador

"Desprezei batalhas,
Troféus, vitórias; trovador tornei-me;
Fiz troca de uma espada por uma harpa,

E esta me deu o que me dera aquela;
Glória de trovador, ou de guerreiro,
É sempre glória, que deslumbra o mundo.
Meus hinos pelos vales entornando,
Graças e nome eternizei da ingrata.
Anos cinco gastei cantando a bela,
E aqueles que me ouviam, comovidos,
A bela e seu cantor abençoavam.
Voltei enfim, e as ternas harmonias
Fui depor, como outrora os nobres louros,
Aos pés da cruel virgem; – docemente
Peço-lhe amor em paga de meus cantos,
E ela ainda uma vez – *Jamais* – me disse."

XXIX

"Louros ganhados no jogar das vidas,
Cantos, perfumes da alma, em vão gastara!...
Corro de novo à gruta enganadora;
Ah!... já não vive a feiticeira insana!"

A Doida

"Mas ouviste uma voz no antro da maga;
Quem te falou não sabes; mas ouviste:
– Trovador! o teu mal não tem remédio;
– Tu morrerás de amor... e alguém contigo."

O Trovador

"E essa voz?..."

A Doida

"Era a minha."

O Trovador

"E a feiticeira?..."

A Doida

"Minha mãe, que foi ter com a Nebulosa,
E que às vezes vagando em torno à lua,
Olha-me lá do céu."

O Trovador

"Ah desgraçado!
E que eu não tenha mais uma esperança!...
Amor funesto! – afeto matricida,
Que a minha mãe dez anos já me arrancas...
Oh minha pobre mãe! vive ela ainda?!...
Amor fatal! vergonha! opróbrio e crime!...
Devo vencer-te, e te obedeço escravo!...
Tanta fraqueza me envilece... embora.
Eu quero ser amado; eu dera tudo
Por este amor: a glória das batalhas,
Dos meus cantos a glória; espada e harpa;
Eu dera a minha vida, e até minha alma.
Ouve, mulher: – ninguém te chame doida;
Não és doida, não és; – convém que sejas
Anjo ou fada para mim; inventa um filtro,
Dá-me este amor; em troco mil riquezas
Dou-te, que as tenho; não respondes?... fala."

A Doida

"Tu pedes-me esse amor? a mim? tu mesmo?...
– Na fronte está me ardendo a nódoa negra!...
Marca de maldição... sinal do inferno!!!"

O Trovador

"Inventa um filtro, é teu quanto possuo."

A Doida

"Tu pedes-me esse amor? a mim? tu mesmo?
Sou réproba[31] de Deus! sou feiticeira!...
Ave das trevas... votam-me ao demônio!...
É castigo do céu; porque sou fada."

O Trovador

"E o filtro?... e o filtro?..."

XXX

A Doida as mãos torcendo,
Cai de joelhos, correm-lhe dos olhos
Não mais contidas lágrimas, murmura
Com voz balbuciante:
"Eu cedo ao fado;
Na fronte está me ardendo a nódoa negra!...
Sou réproba de Deus! sou feiticeira!"

Enfim sufoca a dor, no seio a encerra,
Dirige-se ao mancebo e lhe responde:

"Sobre teu mal falei com a Nebulosa;
Não tem remédio, que te prestem fadas;
Nas ondas me escreveu, e ela não mente.
Mas um recurso resta; fraco embora;
Vou tentá-lo por ti; nada me paga,

31. *Réproba*: renegada; execrada.

Nem mesmo toda em ouro a natureza:
Quanto me custa ele, não calculas,
Basta que o sinta eu, e Deus o saiba!
Irei falar a essa mulher que adoras;
Se a comover… melhor para nós ambos."

O Trovador

"Sabes quem seja?"…

A Doida

"Que não sabem fadas!…"

O Trovador

"Onde mora?…"

A Doida

"Sei tudo; e antes da noite
Farei por ti o que por mim não ouso."

XXXI

Da Doida aos pés do Trovador se atira;
Levanta-o ela, e diz-lhe tristemente:

A Doida

"Não te abaixes assim… nem mesmo às fadas.
Só ante Deus um homem se ajoelha.
Ao crepúsculo da tarde irei ao vale,
Que tu bem sabes; falarei com ela.
Agora eu parto – que nos foge a lua.
Adeus!… – Desperta o *amor que fala* e ouve."

XXXII

Arpeja o Trovador, enquanto a Doida,
Saltando no batel, maneja o remo,
E vai cortando o mar ao som de um canto.

Canto III
A Peregrina

I

A extrema da enseada e não longínquo
Das brancas praias amplo vale acoita.
Ao mar o esconde penha enorme e longa,
Separa-o da terra alta montanha:
Cobrem-no todo verde-negras selvas,
Em cujo seio pavoroso e tetro[1]
Raro penetra o sol, jamais a lua.

II

Lá num recanto do sombrio vale
Um antro a rocha tenebroso alberga.
Pétreas entranhas tempo edaz[2] roera,
Cavando assim uma guarida aos tigres,
Que escondidos de dia à noite rompem
Levando ao campo e selva estrago e morte.
Conquista a solidão o esforço humano,
Os tigres prema[3], que rugindo fogem,
E a crença popular transmuda aérea
Das feras o covil em lar de fadas.

1. *Tetro*: escuro; sombrio; tétrico; medonho.
2. *Edaz*: voraz; devorador.
3. *Premar*: oprimir.

III

Última herdeira da sombria gruta
A Doida e mais ninguém nela se abriga:
Tremenda fama despovoa o sítio,
E aproveitando a solidão propícia,
No silêncio se obumbra a desvairada.

IV

O sol em pino enverdecia os bosques
Após a noite, em que se ouviram cantos,
Desses cantos que lágrimas são da alma:
Envolveu no seu véu a noite umbrosa
Do Trovador o caso infausto, e o voto
Que imprudente jurara a pobre Doida.
Nada revela o que abafaram trevas:
O Trovador se oculta, a rocha é muda,
E à confidente a solidão enubla[4].

V

Passara a noite, e o sol estava a pino.

VI

Muda e triste a cismar no escuro antro
Horas longas passou mísera Doida.
Onde a sombra reinava mais espessa
Sentada se deixou em rasa pedra.
Cai-lhe pesada a fronte entre os joelhos,
Que as mãos mantêm entrelaçando os dedos;

4. *Enublar*: cobrir de nuvens. Em sentido figurado: entristecer.

Com um lúgubre[5] véu a envolvem toda
Em borbotões de anéis tombando imensas:
Muda, imóvel estátua a julgaríeis,
Ou corpo inerte que a alma abandonara,
Se anélito[6] aflitivo não provasse
Em vez da paz da morte a dor da vida.

VII

É fundo abismo o meditar sombrio
Em que se engolfa a Doida inconsolada;
No espírito rumina a que fizera,
Generosa promessa: não a enjeita;
Não quebra um voto o coração honesto;
Mas ah! que assaz no seio este lhe pesa!
É doce pão do espírito a virtude,
E mil vezes também pão que se compra
Com lágrimas acerbas! – Não importa:
Prometeu, cumprirá. No entanto imersa
Nesse deserto que mudez se chama,
Presa ao tormento seu, esquece o mundo.
Diríeis que de todo introvertida
No coração contempla um triste arcano,
Já extinta esperança, flor quebrada;
Tal como infeliz mãe se prende à lousa
Que o filho inanimado eterna esconde
Para chorar a dor, que é sem remédio.

VIII

Ai mísera! por que maligno gênio

5. *Lúgubre*: fúnebre; triste.
6. *Anélito*: respiração.

Que te arrebata em voos desvairados
A mente que cogita, a sós te deixa
Entregue toda ao coração que sente?...
Ai de ti, pobre Doida! que te queimam
A um só tempo dois fogos seio e fronte:
Este ao menos não dói-te; que não pode
Julgar dano a loucura alma de louca;
Mas o fogo de amor... ah, que dói muito!

IX

De tão longo cismar triunfa a Doida,
Alça enfim a cabeça e a face mostra.
Que turbilhão de sevos[7] pensamentos,
Dessa infeliz na alma tempesteia!...
Turva e sombria a fronte se lhe enruga,
Como empolado mar que o vento agita,
Ou irado leão que a juba encrespa.
Em contínuo volver rodam-lhe os olhos,
Em cada olhar centelhas dardejando;
E o seio virginal, sagrado berço
De um puro amor que por mesquinha sorte
Ali mesmo terá também seu túmulo,
Arfa, prevendo o fúnebre destino.

X

Ao declinar do dia ergueu-se a Doida:
Do coração lhe rompe agro[8] gemido,
Primeiro foi; mas ah! como arrancado

7. *Sevos*: cruéis; desumanos.
8. *Agro* (em sentido figurado): pungente; dolorido.

De um seio, que a gemer exala a vida.
Serena e balbucia:
"É meu destino!
Na fronte a nódoa negra está me ardendo;
Sou réproba de Deus, sou feiticeira;
É castigo do céu; devo curvar-me."

Cai-lhe então a cabeça como ao peso
De tremenda desgraça, e a nívea capa
Toma, envolve-se nela, e deixa o antro.

XI

Ei-la, vai: – generoso sacrifício
Mísera Doida a consumar se apressa.
Sobe alta serra, entranha-se num bosque
Umbroso e denso; e quem então a visse
Nessa que alveja roçagante capa,
Com as madeixas tão longas espargidas
E muda e só, de espanto estremecera,
Qual se encontrara pálido fantasma,
Ou branco gênio, que a floresta encanta.

XII

Ei-la, vai: já desceu a fundo vale,
Passa além de um ribeiro, e menos alto
Vence outro monte, que palmeiras coroam:
Chega-lhe ao cimo, e para baixo olhando;
"É ali!" murmurou: cai-lhe uma lágrima,
Quente ainda, que é fibra derretida
De um coração que ferve em fogo insano;
Com a destra enxuga do martírio a filha,

Anima-se e prossegue: a longa marcha
Não a fatiga ainda; mas no seio
Tanto lhe pesa um desvalido afeto,
Que já seu passo é vagaroso e tardo.
Ao ir soar do sacrifício a hora,
Hesita o mesmo bravo que não treme,
Quanto mais ela que é mulher e amante!

XIII

Com diadema flamante o sol se ostenta
No trono das montanhas; mais uma hora
E o rei dos astros dormirá tranquilo
Do horizonte no leito nebuloso,
E ao colo ardente das huris[9] de fogo.
A cena é majestosa! atrás e aos lados
Montes severos, cujos dorsos mordem
Torrentes que a bramir se precipitam,
Florestas gigantescas, negras penhas,
E em doces vales plácidos arroios;
E ante si vê a Doida um verde bosque,
Donde lhe trazem vespertinas auras
De manacás e de baunilha eflúvios.
De mistérios é hora: o bosque fala,
E com o fagueiro sussurrar dos zéfiros
Com quem barulham as bulhentas folhas
Mistura-se das feras o bramido,
Silvos das serpes, estalar de ramos,
Zumbir de insetos, e gorjeio de aves,
Que se despedem do astro moribundo.

9. *Huris*: na tradição islâmica, são jovens e belíssimas virgens que acolhem os crentes muçulmanos no paraíso.

É um hino que entoa a natureza
Da solidão no mágico sacrário.

XIV

Viva só pela dor, morta pro mundo,
E a tudo alheia, vai seguindo a Doida;
Vence o espaço por fim que a separava
Do sítio, altar de bárbaro holocausto;
Para… hesita… reanima-se, e de súbito
Nervoso impulso as forças lhe excitando,
Últimos ramos, que a detém, repele
Com as mãos trementes, surge da floresta,
E ante um límpido lago imóvel fica.

XV

A abóbada pomposa da floresta
Quebra-se ali e um lago patenteia,
Que reflete do céu a imagem pura.
Onda serena a face enruga apenas,
Quando aos beijos dos zéfiros se agasta.
No coração o bosque o lago acoita,
Qual o serralho de um sultão zeloso
A dileta odalisca, e gigantescas
Em torno alinham-se árvores soberbas,
Orgulhosas de ver-se retratadas
No cristal puro das tranquilas águas.
Bordam as margens delicadas flores,
Que embalsamam o ar doce vibrado
Por mil gorjeios de canoras[10] aves.

10. *Canora*: de voz ou canto harmonioso.

A magia do belo o sítio encanta;
E mais além... no fundo onde viçosa
Macia e nova reverdece a grama,
Silvestre pavilhão ergue a natura.
De manacás em círculo dispostos
Um grupo vê-se entrelaçando-se os ramos,
Por entre os quais alastram-se em mil voltas
Virentes, delicadas trepadeiras
De verdura eternal forjando um teto,
Onde flores sem conta estão brotando,
Como estrelas no céu brilhantes luzem;
A cúpula florida guarda e zela
De relva um banco – o trono da floresta,
Que só deve ocupar a formosura.

XVI

Tinha a Doida volvido em torno os olhos,
Até que os fita no gramíneo assento;
Estática ficou... pasma, contempla...
Dói-lhe o que vê; mas admira – absorta:
De verde relva no mimoso banco
Por entre as hastezinhas entrançadas
De belas flores, que da verde cúpula
Vem caindo ao acaso vacilantes,
Quais madeixas de um gênio da floresta,
Vê-se num abandono voluptuoso
Sentada a meditar mulher ou anjo.
O primor de um cinzel sublime fora,
Se fora estátua; tão formosa é ela!...
Quando pode a mudez quebrar do espanto,
Torcendo as mãos, murmura a pobre Doida:
“Razão teve de amá-la!...”

XVII

À voz estranha
Ergue-se o belo vulto… um passo avança…
E um abismo de encantos se revela.

XVIII

Sua estatura é alta e majestosa,
Sem que lhe abafe a majestade a graça.
Quieta face de um lago manso e puro,
Sereno céu de bonançosa aurora,
Eis sua fronte sossegada e lisa.
Os seus cabelos longos e brilhantes,
Como da tempestade a nuvem negros,
Em bastos caracóis brincando soltos,
Quando assentada, o colo lhe anuviam:
Tão grande negridão, seio tão níveo,
Em desordem furtando a mil desejos,
É como um caos que um mistério esconde:
Olhos negros também, de amor são raios;
Têm uma luz que aos corações é dia,
Têm um fitar que à indiferença é morte.
Ao ver-lhe a breve e graciosa boca,
Suas madonas retocara Urbino[11];
O bico da torcaz[12] rubor mais puro
Não tem que os lábios seus, nem mais alvura
Que os finos dentes neve cristalina.
Ao cisne do Uruguai não cede em graça

11. Rafael Sanzio (1483-1520): também conhecido como Rafael ou Rafael de Urbino; pintor e arquiteto italiano; um dos gênios do Renascimento.

12. *Torcaz*: espécie de pomba de bico vermelho, comum na Europa.

Seu colo altivo e belo, e nem as fadas
A cintura no mimo e delgadeza,
Torneara-lhe os braços gênio amigo,
Tão formosos se mostram! mão de um anjo,
Branca e leve qual pena de uma garça,
Jasmins colhendo por jasmim se houvera;
Níveos dedos coroam de cristal pétalas de rosas;
E o lindo pé, que às vezes se adivinha,
Quando mergulha na rasteira grama,
Invejariam silfos[13], que só voam.
Oh! tão formosa, custa a crê-la humana!
Parece um anjo que baixara à terra,
Anjo exilado da mansão dos justos,
Peregrinando na mansão dos erros.

XIX

Dói-te a vida que arrasta alma cativa?...
Pesa-te amar debalde?... – não a vejas:
Pede ao céu que desfira um raio ardente,
Que de uma vez te cegue; melhor fora[14],
Do que vê-la e morrer de amor por ela,
Quem a viu uma vez, não mais a esquece,
Tantas lhe sobram feiticeiras graças.
O angélico sorrir, que os lábios puros
Lhe adelgaça, alvejando ebúrneos dentes,
É como onda mansinha, que recua,

13. *Silfos*: na mitologia céltica e germânica, espírito ou gênio elementar do ar.

14. Flexão da terceira pessoa do verbo "ser", no pretérito mais-que-perfeito; a vogal "o" tem pronúncia fechada ("fôra"). Não confundir com o advérbio "fora" cuja pronúncia é aberta ("fóra").

E mostra nívea praia; ou como a aurora
Despontando num céu claro e formoso;
Ou como dadivosa uma esperança
Na alma se dilatando. Nos seus olhos
Brilham talvez centelhas, escapadas
Dessas que Deus raiou, quando nos dias
Da imensa criação, olhando o espaço,
Criou a cada olhar um sol, um astro.
Da ave amante do céu plácido voo,
De gracioso batel nado suave,
Que ao luar, em desoras[15], vai tranquilo
Lambendo a face do dormente lago;
De meigo sonho a ideia perigosa,
Que como que se arrasta pela mente,
Que de saudosa o seu fugir demora;
Da harpa sonora o som, que vai morrendo
Pouco a pouco entre as auras diluído,
Nem ave, nem batel, nem pensamento,
Nem som da harpa amorosa são serenos
Como o volver dessa mulher formosa,
Quando anda ou se desliza pela terra.
Oh! não a vejas, que de amor sucumbes.

XX

Oh! Não a escutes, que debalde és cego!
Para matar de amor a voz lhe basta.
Sobeja ouvir o seu falar maravilhoso
Para embeber-se na alma um filtro insano
De indizível doçura repassado.
É nos seus lábios uma frase um hino

15. *Desoras*: tarde da noite; fora de hora.

Desses que aos pés de Deus modulam anjos.
Se entoa um canto... eleva-se da terra,
E a quem a ouve arrouba em doce enlevo;
É sua voz prodígio de harmonia;
E em cada nota ressoar se escuta
Alma de gênio, e coração de artista.
Sutil perfume de virgínea rosa;
Eco noturno de longínqua flauta,
Que geme aos lábios de amador saudoso;
O primeiro – talvez – que ousa tremendo
Pudica virgem conceder ao amante;
Um gemido de mãe, que ajoelhada
Junto à campa do filho idolatrado
Chora saudades; um adeus extremo,
Que em despedida – o último – se dizem
Já de longe os esposos que se adoram;
Oh! tão ternos não são como seu canto,
Quando fala de amor celeste e puro.
O furor do ciúme interpretando,
Raios desprende num cantar sublime,
Que o coração em tempestade mostra;
O crime a praguejar é como um anjo
Que o castigo de Deus troveja aos ímpios[16].
Terna, sublime, ardente, é sempre a mesma,
Sempre artista feliz, gênio inspirado.

XXI

Dobra o mistério da beleza o encanto,
Seu nome, a pátria sua, e de onde veio
Ninguém sabe: surgiu inesperada

16. *Ímpios*: indivíduos sem fé ou respeito pelo que se considera sagrado.

Naquelas solidões, qual nos céus brilha
Do astrônomo absorto aos olhos longos
Noite primeira incalculada estrela.
Como um arcano no sacrário da alma
Cerrou depois a vida num retiro,
Onde se apraz de se roubar aos homens.
Ali respira amor; mas seus amores
São dois só – harmonias e perfumes;
As aves ama, porque as aves cantam,
Flores cultiva, porque aromas vertem,
E entre cantos e odores frui a vida.
Ela canta, e cantando se arrebata
Levada em voos às mansões do gênio;
Não quer louvores, nem modéstia inculca;
Canta, só porque vive de harmonias.
Suas vestes recendem odorosas
Sempre; quando ela passa, após nos deixa
De indizível fragrância onda suave,
Como vestígio de um passar de fada.
Onde ela mora, desabrocham rosas;
Bela princesa de ridentes vales
Formam-lhe a corte peregrinas flores;
Talvez um *ser* de natureza estranha
Vive só de perfumes e harmonias.

XXII

Puderam vê-la astutos camponeses
A furto às vezes na solidão do bosque;
Nunca mais a esqueceram; do crepúsculo
Sabem, que apraz-lhe a hora, e mal descamba
Sobre os montes o sol, já pressurosos
De longe ocultos das floridas moitas,

Encantos sorvem com famintos olhos,
Que veneno também incautos bebem.
O que primeiro a vê, arfa de glória,
Aos sócios a anuncia; se não sabem
Da bela o nome, um outro lhe inventaram;
De estranhas plagas[17] lembram que é vinda,
E a chamam de concerto a – *Peregrina*.

XXIII

Tão bela criação sempre era humana!
Anjo fora, e na terra não vagara,
Se, milagroso *ser*, mortal fraqueza
Superando, perfeita em tudo, houvesse
Vencido a lei, que a humanidade acanha.
Oh! inda mal que em corpo tão formoso
Se aninha um coração isento e fero!
Menos bela antes fora, e mais sensível!
Do quinto lustro a meta já tocara,
E de amor um olhar...um riso nunca,
Raio da alma, ternura se acendera
No angélico semblante; era uma estátua,
Mármore toda, coração não tinha;
Ou então flor do céu não vê na terra
Cultivador que lhe mereça eflúvios;
Divino girassol pende somente
Para o astro de luz, que é seu encanto;
É no mundo em que vive uma estrangeira,
Nada do mundo quer; é pensamento
De piedade cristã, que a Deus se eleva,
Ave altaneira, que despreza os vales,

17. *Plagas*: regiões; lugares; países.

E vai soberba conquistando as nuvens,
Sumir-se onde não chega a vista humana;
Centelha ardente de sagrada pira,
Que foge da terra, e perde-se no espaço;
Coração de amianto, que não arde,
Ou sol, que abrasa o mundo, e não se abrasa.

XXIV

Vacila a Doida tantas graças vendo,
E uns olhos, que rebentam de ciúme
Daquele rosto arranca exasperada;
Flama infernal lhe abrasa a consciência,
E com voz abafada e um rir sinistro
De novo diz: "Razão teve de amá-la!..."

XXV

Atônita ficara a Peregrina
A olhar essa mulher, que ali surgira;
Debalde intenta descobrir quem seja;
Figura, vestes, parecer e modos
Estranhos por demais nada lhe indicam;
Espera em vão que fale, e ao vê-la muda,
Olhos fitos no chão, tremendo os lábios
A murmurar imperceptíveis frases,
Aproxima-se dela, e enfim pergunta:
"Mulher, quem és?... por que buscaste o lago?..."

XXVI

A voz de encanto convulsou a Doida;
Recorda o voto, que olvidado estava,

E treme ainda uma vez. Como cumpri-lo?...
Como encarar um rosto e aqueles olhos,
Que em sua formosura o amor lhe matam?...
Como dizer: "Triunfa! é teu, quem amo!
Sê rainha, e a teus olhos, e aos pés dele
Escrava eu seja, que, rojando, viva
A gemer desprezada?..." A miseranda[18]
Hesita, arqueja, e as mãos emagrecidas
Cruzando no peito, balbucia:
"Ordena-o minha mãe, hoje me disse
Três vezes no piar de ave agoureira;
E num raio do sol, que entrou na gruta
Primeira vez, na rocha tremulando
A sentença ditou-me a Nebulosa:
Na fronte está me ardendo a nódoa negra!
Sou réproba de Deus!... cumpra-se o fado."
E de um falso valor súbito acesa,
As vistas ergue, a Peregrina arrosta...[19]
Mas ah! que além não pode! em desatino,
De um delírio fatal cedendo aos ímpetos
Deita a correr ao redor do lago;
Suas madeixas pelos ares voam,
De encontro aos ramos fere as mãos e a face,
A capa desenvolta se espedaça,
Satânico fulgor nos olhos brilha,
E brada enfurecida: "Nunca! nunca!..."
Para de chofre; uma assassina ideia
Na alma fuzila... volta-se pro lago,
Um salto forma; mas... pendente fica...
Os braços estendidos... lábios trêmulos...

18. *Miseranda*: infeliz; que inspira compaixão.
19. *Arrostar*: encarar.

Desconcertado o rosto… o seio arfando…
Estática… pasmada… hirta de assombro.

XXVII

Demônio atroz, que o suicídio inspira,
E só triunfa em mente desvairada,
Ou quando em alma fraca a fé vacila,
A infeliz, que em torturas se estorcia,
Mostrara insano no profundo lago
Um leito, onde se dorme eterno sono.
Deslumbra a Doida do descanso a ideia,
À morte avança; mas no extremo instante,
Em que do abismo já pendia à beira,
A própria sombra na água lhe aparece,
Qual ondina, do fundo, olhando a vítima;
Para os braços que estende a desgraçada,
Braços estende mentiroso vulto,
Os movimentos lhe arremeda, e acaso
Aflição, e terror também simula.
Em treda exaltação perdido o espírito
A sombra desconhece a Doida, e túrbida[20]
No vacilante vulto os olhos crava,
Espanto radiando, e pavor toda,
Até que rendida a pulso irresistível
Vai curvando os joelhos, mãos cruzadas,
Desprende a voz, que lhe peara[21] o susto,
E fala à sombra com dorido acento:
"Compaixão! compaixão, ó Nebulosa!
Reconheço-te aí nas vagas formas,

20. *Túrbida*: perturbada; turva; sombria; obscura.
21. *Pear*: prender; impedir.

Como reges o mar, no lago imperas!
Em toda a parte predominam fadas.
Curvo-me a teus decretos, não me punas!
Sou réproba de Deus, sou feiticeira:
Arde-me a fronte! cumprirei meu voto."

XXVIII

E uns olhos, que à terra ainda prendiam
Ciúme, e dor, alonga pela relva,
Até que os suspende a contemplar absorta
Virgínea rosa, tão virgínea ainda,
Que nem de todo distendera as pétalas.
Algum tempo esqueceu-se muda a olhá-la,
Depois como ao fulgir de um pensamento,
Volve o rosto pro lago, e diz baixinho:
"Curvo-me ao fado; cumprirei meu voto;
Hei de falar-lhe sem queimar meus olhos;
A rosa me ouvirá, e a rosa é ela."
Depois chegou-se à flor; com o branco dedo
Toca as pétalas de leve, e suspirando
Desprende a voz, como um gemido triste,
Triste como da rola o triste arrulho.

XXIX

"Estas pétalas são páginas de um livro
Que eu leio e compreendo: feia história
Encerrava o botão, que vai se abrindo.
No coração do vale ao pé do lago
Ao mundo oculta se abrigava a rosa,
Qual vergonhoso terno pensamento,
Que arde abafado em alma de donzela;

Mas como os olhos e os sorrisos traem
Aquele meigo afeto, o amor primeiro,
Que nos véus do pudor esconde a virgem,
Assim também alígeros[22] perfumes
Os segredos da rosa atraiçoaram.
Das flores o falar entendem fadas;
E a Nebulosa, decifrando aromas,
Fez-me ler, gentil rosa, a tua história;
Vou repeti-la; escuta; e vê se eu minto."

XXX

E prossegue em falar com voz tão doce,
Com tão suave acento, que disséreis
Canto de amores a engenhada fábula.

XXXI

"Nem sempre rosa, linda flor, tem sido
Nem sempre o mimo do secreto lago;
De encanto és presa, de vingança exemplo,
Se agora és rosa, foste já donzela.

"Doces aromas que teu seio exala,
Revelam mudos de teu fado a história;
Também sou maga, e desnudei arcanos;
Sei que és donzela, e só no aspecto rosa.
Lembras-te acaso das passadas glórias?...
Tecera a graça em tua face um ninho;
Raios amor nos olhos teus vibrava,
E contendias[23] formosura aos anjos.

22. *Alígeros*: alados; velozes.
23. *Contender*: disputar; rivalizar.

“Na voz as fadas te entornaram filtros,
Eras do mundo maravilha e assombro;
Em flor és menos, que em mulher; rainha,
Se hoje és das flores, já das belas foste.

“Muitos te amaram: – juras e protestos
Deixaste, surda, que a teus pés morressem;
Deusa impiedosa, só de ti ganharam
Desprezo frio, adorações ferventes.

“Nem de um poeta o coração domou-te
O olhar de fogo, e derreteu-te o gelo;
Pobre insensata! nem sequer sabias,
O que é poeta, e que missão o alteia!

“Do céu trombeta, que na terra soa
Raio do gênio, vítima da glória;
No céu tem palmas, tem na terra angústias,
No seio a glória, e na cabeça o gênio.

“Flor que desponta, quando a natureza
Com santo amor o olhar de Deus fecunda,
Predestinado, que aleitaram fadas;
Mito de pranto e fogo: – eis o poeta.

“Impenetrável rocha que desdenha
A linfa pura, que em seu dorso corre,
Assim tu foste, desprezando extremos,
Que ardente poeta esperdiçou contigo.

“Pira sublime, recendendo amores,
Alma de fogo derramada em hinos,
Só teve em paga enregelada frase,
– *Jamais!* – a frase, que à esperança é morte.

"Dói-se da afronta o desprezado amante;
Transporta o voo, em que se arrouba o gênio;
Perlustra[24] as nuvens, esconjura as fadas;
E à voz lhe acode a Nebulosa amiga.

"Primaz das fadas surge de uma estrela,
Em cujo seio toda em luz se banha;
Os ares fende, voa e não tem asas,
E vai no espaço derramando encantos.

"Profunda a terra e desentranha o ferro;
Do sol com o fogo, e com celeste orvalho
Tempera um gládio[25], que a magia apura,
E diz ao poeta: 'Compra amor com louros!'

"Tu da fraqueza delicado símbolo,
Flor que embeleces tronco, que te alenta;
Mulher, escuta: amor de um bravo é glória,
E pois que és flor, o bravo seja o tronco.

"Raio é terrível de vitória a espada,
Que vibra o amante, louros conquistando;
Perdidos louros, que os rejeita a ingrata;
Quebra-se o gládio; e a Nebulosa freme.

"Surge iracunda de repente a fada,
Das mãos do poeta arranca a lira e voa;
Rebenta as cordas, que estalando gemem,
E outras apresta, que de encanto enchera.

24. *Perlustrar*: observar; examinar.
25. *Gládio*: espada de lâmina curta, com dois gumes.

"Volta, e de novo o mágico instrumento
Ufana entrega ao devotado amante;
Na alma lhe acende lúcida esperança,
E diz-lhe: 'Canta! que serás amado'.

"Flor do deserto, que te val[26] perfume
Se o não espalham pelo campo as auras?...

"Virgem formosa! tu és flor do poeta
Que em doces cantos eterniza as graças.

"Baldado esforço! rompe em vão da lira
Hino em que o gênio fervoroso avulta;
Aos ternos cantos não responde a ingrata,
Ou dura e fera só – *Jamais!* – responde.

"Audaz afronta não suportam fadas:
Fulgindo irada a Nebulosa em fogo,
Frases sinistras pronuncia e súbito
O encantamento da vingança opera.

"Gentil donzela, já teus pés se afundam,
Prendem-se à terra, e tornam-se raízes;
Já de teu corpo se enverdece a cútis,
Mudam-se em ramos teus formosos braços.

"Já tomam corpo teus fatais desprezos,
Espinhos são, e folhas os cabelos;
É seiva o sangue, é flor o que era rosto,
E é rosa agora, quem já foi donzela.

26. *Val*: forma poética de *vale* (3ª pessoa, singular, do verbo *valer*, no presente do modo indicativo).

"Ingrata! ingrata! nunca o seio virgem
De amor o pranto penetrar pudera,
E hoje, que és flor, as lágrimas dos silfos,
Que orvalho choram, banham-te a corola.

"De amor a um beijo nunca ardeu-te a face
Em rubras ondas de pudor virgíneo,
E ora os colibris, da inconstância tipos,
E abelhas ágeis tuas pétalas beijam.

"Triste suspira a tal castigo o amante;
Move-se a fada, em zéfiro o transforma,
E ainda é suspiro, que é também zéfiro
Pelo infinito um suspirar da terra.

"Ao fim triunfa! o desprezado amante
Zéfiro goza deleitosos mimos;
Tem mil amores, vinga-se da ingrata,
E a rosa é dele, como as outras flores.

"Lá vem tão belo precedendo a aurora,
Que tremem folhas ao sentir-lhe o voo;
E tu, que outrora o desprezaste humana,
Hoje que és rosa, a teu pesar és dele.

"Com teus cabelos, que são folhas brinca,
Beija-te a face, e lábios, que são pétalas;
O amor negado em teus perfumes liba[27],
Depois te deixa, e vai gozar mais flores.

"Nem sempre rosa, linda flor, hás sido,
Nem sempre o mimo do secreto lago;

27. *Libar*: beber; brindar.

Puniu-te o encanto da primaz das fadas;
Se agora és rosa, foste já donzela.

"E como as graças murcham da beleza,
As pétalas murcham da mais leda rosa;
Tranças alvejam, como as folhas secam,
E a flor se extingue, como o corpo morre.

"Podiam dar-te eternidade as fadas;
Mas a vingança a Nebulosa apura;
Já se congela a seiva, que te é vida,
E ressequida o teu rubor desmaia.
Estremo bafo nem perfume expira
Seco pedúnculo[28] é derradeiro apoio...
Cai sobre a relva... vês ao longe o zéfiro...
E, encanto novo, a fala recuperas.

"Clamas: 'Piedade!' e o zéfiro insensível,
Por ti roçando no rasteiro voo,
E indo outras flores festejar no bosque,
– *Jamais! Jamais!...* – sussurrará com as folhas".

XXXII

Enquanto a Doida fabulava, aos poucos
Chegando-se viera a Peregrina,
E apenas ao silêncio a vê tornada,
Com dulcíssima voz assim lhe fala:
"Nem zéfiro, nem rosa; o nome escondes
De uma inocente flor por entre as pétalas:

28. *Pedúnculo*: haste que sustenta uma folha, flor ou fruto.

Entendi seu falar; meu nome é esse;
Mas a que vens, e quem te manda ignoro".

XXXIII

Ainda a custo ou a medo, ainda com os olhos
Pela terra espalhando vagos lumes,
Responde a Doida; mas de ardor crescente
Acendida depressa, erguendo a fronte,
Na Peregrina encara e mais não treme.

XXXIV

A Doida

Trouxe-me aqui o coração sensível,
Que se doeu de um pranto malchorado[29];
Completo um sacrifício, em que sou vítima;
Do altar que me devora a pira acendo.
Quem me o inspirou, bem sei; não é da terra,
Não a conheces tu, que o não mereces.
Da lua amiga, pelo céu divaga;
Águia não é, e conquistando os ares
Entre nuvens passeia, como a virgem
Por entre flores meditando vaga;
De amianto não é, e nas estrelas
Banha-se em chamas; luz, e não se queima;
Não é da terra, mas na terra às vezes
Solitária a cismar vê-se de noite
Mistérios decifrando; é bela, é rica,
No fundo mar tem um palácio de ouro;

29. *Malchorado*: choro abundante.

Hei de lá ir… tu não irás, que és fera,
E é força que te odeie a Nebulosa.

A Peregrina

Que dizes tu?…

A Doida

Ela vê tudo; ah! treme!
Tudo vê, e ouve tudo a Nebulosa
Incessante velando; há na magia,
Poder, mistérios, supernais[30] arcanos,
Que à rainha das fadas só competem.
Quando lhe apraz, simula a forma, ou toma
Do ser que mais lhe agrada, ou mais lhe serve.
Às vezes um favônio vai correndo,
Nas asas de anjo que invisíveis voam,
A devassar jardins, beijando as flores;
Ah! treme! treme! que o favônio é ela;
E ao grato sopro dobram-se as palmeiras,
Que ciciando ensinam-lhe segredos,
Que o silêncio ocultara à sombra delas.
Às vezes borboleta, ilusões finge,
Confunde faces de rubor tingidas
Com as rosas que ama, e como em desengano
Das faces cai no seio da donzela
A perscrutar suspiros. Flor às vezes,
Sem que o penses a tens nos teus cabelos;
Passarinho do céu; eco de um canto;
Arroio do deserto; vaga sombra,
Que pálida ao luar surgiu de um túmulo;

30. *Supernais*: superiores; supremos.

Raio da lua... matutino orvalho...
Etérea exalação, ou sonho da alma
Que te perturba à meia noite o sono,
Tudo, tudo é talvez a Nebulosa...
Ah! treme, treme dela!...

A Peregrina

Desgraçada!
Tão bela, e de loucura assim ferida!
Lastimo-te, infeliz...

A Doida

Tu me lastimas!...
Oh!... podes lastimar-me!... não! não podes:
Doida me chamam, tenho bom juízo!...
Filha de fada, fada sou; dileta
Da Nebulosa, gozos mil prelibo[31],
Que lá me esperam no encantado alcáçar[32].
Mas – quem fala de mim? quem sou, que importa?
Que me lastimas, dizes?... oh! pranteia
Antes essa, que a lei sagrada olvida
– Primeira lei de Deus –, e a um tempo afronta
A Deus, que legislou, e a Nebulosa.
Mulher, que abusas de fatais encantos,
Teme o raio de Deus, e teme as fadas!
Criminosa! arrepende-te, que é tempo.

A Peregrina

Quem criminosa?... eu?...

31. *Prelibar*: sentir prazer antecipadamente; antegozar.
32. *Alcáçar*: palácio; castelo.

A Doida

Sim; tu não amas.

XXXV

E olhos que amaldiçoam e horror fuzilam
Na Peregrina a Doida irada fixa;
E ela por sua vez, tremendo ao fogo,
Que nesse olhar de louca radiava,
Recua um passo e transportada exclama:

A Peregrina

Eu não amar!… oh Deus!… eu que no seio
Do mais sublime amor guardo o sacrário!
Eu que vivo de amar… que amor sou toda!…

A Doida

Pois tu amas?…

A Peregrina

Se eu amo!… escuta; apalpa
Este anelante peito; sente a força
Com que palpita um coração de virgem;
E de amor a cratera que referve;
Que santo amor porém!… dele me ufano!…
Tão alto e nobre, que me arranca à terra,
E me embebe no céu; oh!… cem amores
Reunidos num só, que é mais que todos.
Amo as flores, turíbulos[33] mimosos,

33. *Turíbulo*: recipiente de metal, usado para queima de incenso. No verso, metáfora para as flores, recipientes do "incenso", isto é, o perfume exalado.

Que ao Criador incenso exalam puro;
Amo as aves, que o bosque, o vale, o espaço
Enchem de doces e inefáveis cantos;
Amo o rochedo, que namora as nuvens;
O arroio, que serpeia em campo ameno;
A torrente soberba, que desaba;
Amo a brisa, que geme no deserto;
A fronte a soluçar manando a linfa;
O prado, o monte, o rio, a serra, e o mar,
Que o infinito arremeda; amo as estrelas,
Mundos fulgentes, que espalhou no éter
O Senhor, e que a luz dardejam pura
Que neles acendeu o olhar sagrado;
Amo o sol, amo o céu, a natureza,
Amo o belo – amo a Deus!

A Doida

E um homem?...

A Peregrina

Nunca;
No homem amo somente a obra divina;
Ainda nele amo a Deus, e só Deus amo.
Verme do coração, sensual instinto,
Nada sobre mim pode.

A Doida

Ave da terra!
Prende-te um laço pelos pés ao mundo,
E as asas bates para voar aos astros!

A Peregrina

No cárcere do pó sei que está preso
Meu espírito; embora! os seus anelos,
Ao menos, livres para o céu remontam.

A Doida

E tu que Deus com tanto amor cultivas,
Acaso ignoras que de Deus aos olhos
É o mais belo altar uma alma pura,
E a virtude o incenso o mais exímio?...

A Peregrina

Minha alma dei-lhe toda; amo a virtude.

Doida

E a gratidão, mulher?...

A Peregrina

Acaba!

XXXVI

A Doida

Atende.
Duas fadas num antro um dia ouviram
A estranha confissão do amor mais triste;
Já uma delas se furtando ao mundo,
Subiu às nuvens, e no espaço vaga;
Era essa minha mãe: outra ainda vive
Votada a um sacrifício aqui na terra.

Gênio que ordena, e amor que se holocausta[34]
Arrastam-na teus pés, e é força ouvi-la,
Que a Nebulosa nos seus lábios fala.
Sabes, mulher, que o Trovador te adora:
Dez anos, e ainda mais de ardente pranto,
De lágrimas a sede não saciam?…
Oh!… Dez anos de amor te não comovem!…
Que provas te não deu?… dizei, que falta?
Hora fatal, ao ver-te a vez primeira,
Não te falou no êxtase, que é alma
Dos olhos a pender, porque não bastam
Ao vulcão, que prorrompe[35], a voz e os lábios?…
Já te não lembras?… dize.

A Peregrina

Sim… prossegue.

A Doida

E as flores que espargia, onde os vestígios
Ficavam de teus pés?… acaso ignoras,
Que às flores ternos beijos precederam?…
E esse respeito temeroso e belo
Com que de longe suspirava a olhar-te?…
É santo amor o que o respeito acanha.
E as juras fervorosas, que veemente,
Como se a um Deus orasse de joelhos,
Até fez do amor tão forte, que bastara
A Deus um tal amor?… já te não lembras?…

34. *Holocaustar* (neologismo): sacrificar; martirizar.
35. *Prorromper*: irromper; manifestar-se súbita e fortemente.

A Peregrina

Lembro-me, sim.

A Doida

És porventura cega?...
Que outro mancebo mais gentil já viste?...
O Trovador é belo! a fronte altiva
É qual sereno céu; se a tolda[36] às vezes
Nuvem, que a enruga, é pensamento grave
Que a alma enubla; o céu tem tempestades.
Seu vulto vence da palmeira a graça;
De sol brilhante os raios tem nos olhos,
E no semblante a palidez da lua.
Fadas o amam! tu, louca, o desprezas!
Quanto por ti ousou, nunca fizera
Amante algum, que extremos inventasse;
Guerreiro, deu-te da vitória os louros,
Poeta, a glória de sublimes cantos;
Cantos e louros!... que fizeste deles?...

A Peregrina

Foram cantos e louros não pedidos;
Esqueci uns; deixei murchar os outros.

XXXVII

A Doida

Não és mulher, não és! no peito aninhas
De fera um coração. Treme! a vingança

36. *Toldar*: encobrir; turvar.

Das fadas é cruel. A Nebulosa
Protege amor, e a ingratidão castiga.
Gênios do ar, os silfos invisíveis
Por toda parte vagam; treme deles!
Sabes acaso como os silfos nascem?...
Não sabes o que são?... negros perjúrios,
Falsos votos de amor, sacras promessas,
Que as mulheres volúveis quebram, mentem,
Em silfos se transformam... ah! são tantos!...
Tantos já, que invisíveis a não serem,
O sol encobririam. Seu destino
É pelo espaço errar, amor vingando.
Treme pois do furor da Nebulosa,
Treme! treme, mulher, de irados silfos!
Dos gênios a vingança é, qual a morte,
Inevitável; nada escapa aos gênios.
Impalpáveis girando em toda a parte,
No soluçar da fonte um silfo existe,
No suspirar da brisa um silfo geme,
E em torno de teu leito aos mil volteiam
A preparar-te detestáveis sonhos.
Teme, oh mulher, a Nebulosa e os silfos!

XXXVIII

A Peregrina

Já me fadiga esse falar de louca.
Demais tenho te ouvido. Volta, e dize
A quem deu-te a missão, que eu sempre a mesma
A seus votos de amor – *jamais* – me dobro.
Longe a esperança! um desengano frio
Leva-lho tu, que extinga aquele fogo

Vero ou fingido, que debalde o queima.
E se a mão do Senhor baixar piedosa
A arrancar-te das garras da loucura,
Mulher, irmã, escuta-me: não ames!
Quando a teus pés um homem curvo e terno
Jurar amor, chorar pranto de sangue,
Não creias, não, mulher; ele te engana.
As lágrimas são galas da mentira,
E o juramento o manto da perfídia.
O homem é rei, que tiraniza, e ao menos
A isenção nos garante a liberdade.
O homem que pede amor, merca[37] uma escrava;
Se agora é flamas todo, em breve prazo
Em gelo se transforma, e desabrido
Ou a despreza sem pudor, ou cedo
Com a indiferença mata-a. Somos flores,
Que enquanto novas de ornamento servem,
E murchas pelo chão rolam pisadas,
Dá-nos vida o desejo, e o gozo a morte.
Os amores da terra todos morrem
De indiferença ou tédio, afora aqueles
Mortos pela traição ao pé do gozo,
E do algoz pela mão. O amor do belo,
O amor de Deus sublime, puro, santo,
Esse sim, e só ele, eterno vive
No mundo, e além na eternidade fulge,
As almas que o cultivam perfumando.
Mulher! irmã! não ames! quando ouvires
Juramentos de amor, comigo aprende
A responder – *jamais!*

37. *Mercar*: comerciar.

XXXIX

E arrebatada,
Qual temerosa corça, a Peregrina
A correr pelo bosque foge rápida.

XL

Ficara a Doida atônita e surpresa;
E mal tornando a si, brando suspiro
Escapa-lhe do seio, e diz gemendo:
"Que irei dizer ao mísero!..."
"Ouvi tudo!"
Murmura o Trovador com voz sinistra
Surgindo dentre as árvores: "Terrível
Minha sentença foi; embora: ouvi-a.
Vai-te, infeliz, e se te apraz ainda
Ver-me-á última vez, na Rocha Negra
À meia-noite – adeus!"

XLI

E também ele
Some-se na floresta, enquanto a Doida
Tristemente repete: "À meia-noite!"

Canto IV

Nos Túmulos

I

Num recanto afastado e solitário
Daqueles sítios, de florestas virgens
E serranias turvas circulado,
Rompia dentre o bosque altivo monte,
Que não distante devassava a estrada.
Outrora em seu cabeço[1] mãos piedosas
Erguido haviam protetora ermida.
O monge, que essa luz levara às selvas,
Ao túmulo baixou; correram anos;
Dormiu a fé no coração do povo;
A incúria religiosa pune o tempo,
E a casa do Senhor vê-se em ruínas.
Piam agouros fúnebres corujas,
Onde outrora orações ao céu se erguiam;
E o lar sagrado, que os fiéis reunia,
De guarida noturna aos brutos serve.

II

Como na vida humana uma esperança,
Que a luzir e apagar-se nos desvaira,
Um estreito carreiro e tortuoso,
Que surge aqui, e ali desaparece

1. *Cabeço*: cume arredondado de um monte ou de uma colina.

Para surgir e se esconder de novo
Por entre grupos de árvores frondosas,
Vai sinuoso terminar-se humilde
Da velha ermida aos pés. Em torno dela
Se ufana sobre o monte a natureza.
Vegetação hercúlea arrosta as nuvens,
De aurífero diadema ipês coroados,
Quais da floresta reis; sapucaieiras
Em coifas cor do pejo a fronte erguendo,
De espaço a espaço em turmas soberanas
Ostentam força, e em generoso impulso
Parecem, dilatando os longos braços
Estrênuos[2], proteger tênues arbustos,
Que ao perto humildes crescem. Pela terra
Vêm rochedos rompendo, como dorsos
De elefantes curvados; negras furnas,
Despenhadeiros turvos lá se afundam,
E além brame a torrente impetuosa,
Que as rochas morde e enfim se precipita
No abismo pavoroso, onde se engolfa
A urrar como um touro embravecido.

III

Sobre o monte no entanto mal se avista
Por entre os braços de árvores frondosas
A ermida moribunda. Largas fendas
Suas paredes carcomidas rasgam;
Da torre, que já pende, o campanário
Conquistam parasitas; já três vezes
Uma após outra vento impetuoso

2. *Estrênuos*: cuidadosos; valentes.

Do protetor telhado arrancou parte,
Que em pedaços e em monte aos pés ficou-lhe,
Ninho prestando a venenosas serpes;
Aves se aninham em figueiras bravas,
Que no sagrado teto ousadas crescem,
E as andorinhas de aflição gazeiam[3]
Vendo os filhos de Deus deixar ingratos
Que uma casa de Deus assim desabe.

IV

O tempo que atacara o lar da vida,
Da morte o campo respeitar soubera.
Ao passo que em ruínas cai a ermida,
Lúgubre pátio que a seu lado asila
Ileso permanece, ileso o teto
Que cobre rude altar, onde singela
Ergue-se a cruz sagrada, e ilesa ainda
A lâmpada que exala a flama triste,
Única luz que luta ali com as trevas:
É da morte a morada; em longas filas
Os túmulos se ordenam; breves frases,
Epitáfios, que a mão de amor gravara,
Nobilitando[4] o pó, os mortos lembram.
É o alcáçar da morte, e seu ministro
O tempo recuara ante o jazigo.

V

A ermida é solitária; há longos anos
Morrera o monge, que viveu por ela;

3. *Gazear*: cantar de pássaros.
4. *Nobilitar*: tornar nobre; engrandecer.

Após ele ninguém fugindo ao mundo
Zelar viera a arca veneranda
Esquecida no monte; quem piedoso
É pois que acende a lâmpada dos mortos?...
Ninguém dizê-lo sabe, e o povo crédulo
Em conta de assombrada tem a ermida,
E do lar do Senhor foge medroso.

VI

Ardente imaginar, que o medo excita,
Criou fantasmas, pavorosas sombras,
Que vagam pelo monte; à noite, dizem,
Abrem-se as campas, erguem-se esqueletos,
E fora do jazigo os mortos velam
Passeando ao luar; alguns pretendem
Ter ouvido um gemer, que humano seio
Dos vivos nunca geme, longo, triste,
Sair do bosque à meia-noite; afirmam
Outros que à mesma hora brancas sombras
Banham-se na torrente, onde não pode
Chegar um homem sem cair no abismo;
Juram enfim que sempre, ou clara lua
Brilhe no céu, ou brama a tempestade,
Ou vente, ou chova, ou denso o véu das trevas
Sepulte o mundo, vai as noites todas
Um vulto de mulher, que traja vestes
Negras, sinistras, sobre as quais alveja
Na cabeça a coroa da velhice,
Em cabelos que a neve em cor igualam
Subindo o monte a visitar a ermida;
Que é ela quem renova a luz da lâmpada,
Que ela é sombra, ou é alma de algum morto.

VII

É noite já; no azul firmamento
Melancólica lua se anuncia.
Reina o silêncio em derredor da ermida;
Só dos gênios da noite a voz se escuta;
Vagueia o mocho em solitária estrada,
Nos leques das palmeiras se embalançam
Sombras da noite a sussurrar queixumes;
E além tudo silêncio; é triste a hora,
É hora de mistérios; no jazigo
Arde a lâmpada fúnebre, lançando
Vacilantes clarões de espaço a espaço;
Pirilampo dos mortos, luz propícia
Aos filhos do terror, como que surgem
Nos escuros recantos sombras mudas,
Ou sentadas *nos túmulos* meditam.

VIII

Mas quem, ousado, é esse que se arroja
A penetrar dos mortos a morada?...
Quem é esse que vem lento e sombrio,
Com a fronte curva, os braços esquecidos,
Rubra capa arrastando pela terra,
Ao altar do jazigo?... o que pretende?...
Que busca um vivo na mansão da morte?...
Quem é que vem?... o Trovador?... é ele.

IX

Respeitoso penetra o seio escuro
Do reino mortuário, e vai direito

Aos pés do altar ajoelhar-se, e reza;
E o sussurrar das orações se espalha
Dos túmulos no campo, frio, sestro[5]
Como um apuridar-se[6] de finados.
Orou, e ergueu-se; sempre mudo, e triste,
Da lâmpada expirante a luz anima,
E logo após investigando os túmulos,
Um procura talvez, achou-o… é esse;
De dor arqueja, e debulhado em pranto
Outra vez de joelhos cai: piedoso
A fria pedra beija, e soluçando
Com voz entrecortada aflito exclama:

X

"Oh meu pai!… Oh meu pai, que me fugiste,
Que a morte me há roubado, ouve teu filho,
Que veio dar-te o extremo adeus da vida.
Não tive flores que trazer-te à campa,
Lágrimas choro, lágrimas recebe;
São flores de saudade, e brotam da alma.
Meu pai! meu pai! se acaso a voz de um filho,
Repassada da dor, que rasga o seio,
Por milagre do amor mais puro e santo
Pode acordar-te desse eterno sono,
Meu pai, escuta! mas se o túmulo é mudo,
E nem te aquece o pó de amor o bafo…
Oh! que um anjo nas asas da piedade
À celeste mansão leve o meu pranto.
Oh meu pai! oh meu gênio abençoado,

5. *Sestro*: agourento, sinistro (em sentido figurado).
6. *Apuridar*: segredar; murmurar.

Oh de ternuras fonte inesgotável,
Protetor vigilante, guia, amigo,
Pai que me davas maternais extremos,
Por que morreste, ou não morremos ambos
Para unidos dormir na mesma campa?…
Só me deixaste… aqui me tens perdido!…
Tu te lembras, meu pai, daqueles risos,
Que nos meus lábios respondiam tantos
A teus carinhos? já murcharam todos.
Tu te lembras daquelas esperanças,
Que ao ver-me ardente conquistando aplausos
O seio te inflamavam?… desmenti-as.
Tu te lembras daquele ousado arrojo
Com que ao futuro ufano me atirava
Sem jamais tropeçar, por ti sustido?…
Tu me faltaste!… já precipitei-me.
Oh meu pai!… teu amor forjava o encanto
Da minha felicidade, e tu morreste!
Teu amor, que era imenso como os mares,
Como o céu belo, fértil como a terra,
Brilhante como o sol, puro e sublime
Como um olhar de Deus, roubou-me a morte.
Meu pai, sem condutor que pode um cego?…
Tu eras o meu anjo, e me guardavas;
Desvairei-me sem ti; paixão nefanda
Escravo me desonra; achou-me o inferno
Sem o meu anjo, e à perdição me arrasta.
Louco me sinto, e entrego-me possesso
A um crime… horrível, derradeiro apelo.
Não posso mais com a vida! odeio um mundo,
Que nas garras me aperta, e despedaça;
Odeio a terra… não! meu pai, perdoa,

Eu amo a terra, que teus restos cobre!
Eu só detesto a vida; em prazo breve
Desse fardo pesado hei de livrar-me.
Pela última vez o sol no ocaso
Vi-o ainda há pouco; despontar brilhante
Não o verei mais nunca; a noite é esta
Sem termo para mim; a eternidade
Das trevas abafou-me antes da morte.
Oh meu pai! oh meu pai! quebra essa laje,
Abre esse túmulo, estende-me os teus braços!
Chega-me a ti! reparte com teu filho
Da paz o leito!... dormiremos juntos,
Pai e filho, abraçados docemente!...
Não respondes?... é muda a cinza tua?
Não devem misturar-se ossos de um filho
Com os ossos de seu pai? pois bem; lá em cima
Prenderá laço eterno as nossas almas.
Meu pai! meu pai! o extremo adeus da vida
Recebe de teu filho!... adeus... à terra
Nada me prende...
E minha mãe?"

XI

Tremendo
O infeliz Trovador ergue-se aflito;
Com as mãos aperta exasperado a fronte,
Amargo pranto verte, geme, arqueja,
Tão preso ao mundo a devotar-se à morte!
Nada iguala as torturas que o trucidam,
Afogado na dor a custo rompe
O lacerado seio um grito ansioso
E "minha mãe!" e "minha mãe!" bradando
Por entre as campas delirante vaga.

XII

Pela nave da ermida soam passos;
Murmuram vozes que o cuidado abafa,
Qual conversar de amigos lastimosos
Junto ao leito de enfermo moribundo
Que descansa a dormir. Enfim se escuta,
Mais distinta que as outras, voz sonora,
Que une a tom senhoril doçura extrema.
"Quero entrar só, a sós orar desejo;
No átrio ide esperar-me". Pela ermida
Dos passos o rumor espalha o eco
Que aos poucos vai morrendo, e todo extinto
Reina o silêncio às orações propício.

XIII

Estranho ao mundo, acabrunhado ao peso
Dos tormentos horríveis que o devoram,
Sem ouvidos pro som, pra luz sem olhos,
Vivo só no sofrer de íntimas dores,
Infeliz Trovador aflito vaga
Pelo campo da morte; fera antítese
Ali a mão do acaso está mostrando
Nesse penar de um vivo ao pé dos túmulos,
Onde dormindo tantos nenhum geme!
Quem é que pensa e não desama a vida?...
Quem não prefere esse dormir eterno
Que olvida as mágoas todas, aos labores
Da vigília fatal, que nos tortura
Com o futuro, que as dúvidas enublam,
Com o presente, que bárbaro flagela;
E com o passado, vasto mar de lágrimas,

Em que a memória o coração afoga?...
Ainda bem que o Senhor doces amores
Na alma nos acendeu; se eles não fossem,
Seria o mundo um báratro medonho:
São esses laços que sustêm a vida,
E fingem tormentosa a morte plácida.

XIV

Mísero Trovador! já lhe não resta
Uma, uma só das ilusões de jovem!
À força de sofrer cerrado e árido
É o seu coração como um sepulcro
De amores e esperanças! Mão gelada
De fortuna cruel mirrou-lhe na alma
A força e a paciência: nada espera.
Nada mais quer do mundo insano e fero,
Onde o homem correndo após fantasmas
Abraça a cada passo um desengano.
Pesa-lhe a vida, extremo desvario,
Fatal inspiração do mundo ainda,
Com uma lava de infernal cratera,
Ofusca-lhe a razão, e cego, e louco,
Nas garras do suicídio Deus afronta.
Há de morrer, que o decidiu; piedoso,
(Não para si) no túmulo paterno,
Tudo quanto ainda tinha de virtudes,
Fé, saudade, esperança, amor, coragem,
Numa lágrima só derramar veio.
Nada falta – Oh que sim! – terna lembrança
Da velha triste mãe, que aflita chora
Pelo filho perdido, à mente assoma
Desse que a raiva da paixão transvia,

E o desgraçado que aborrece a vida
Sente-se ainda encadeado à terra.

XV

Ei-lo, vai ansiado e a largos passos
Medindo o campo fúnebre; uma a uma
Em sua alma revolvem-se as delícias
Que ao maternal amor tantas devera.
Carinhos lembra que gozara infante;
Celestes risos que pagavam beijos;
Olhos, olhos de mãe nadando em fogo
Ao contemplar o filho; os mil cuidados;
As noites de vigília repassadas
Em que junto a seu berço como um anjo
Rezava *ela* por *ele*; o som escuta
Da terna doce voz que o está chamando;
Sente a impressão do afetuoso amplexo[7],
Em que o seio materno ardor e vida
Como que passa ao coração do filho;
Depois de horror tomado, hirto, tremente,
Adivinha essas lágrimas de sangue
Choradas sobre os restos do suicida.
É matar sua mãe matar-se um filho.
O mísero o compreende, e vivo ainda
Do crime que medita a pena sofre.
Agitado cem vezes tem corrido
O pátio já; a noite é fria, e um fogo
Queima-lhe o seio; o ar é puro, e o triste
Anseia sufocado: mas de chofre
Para, e imóvel os olhos no altar fixa.

7. *Amplexo*: abraço.

XVI

Aos trêmulos clarões da luz dos mortos
O Trovador aos pés da cruz distingue
Um vulto de mulher que ora piedosa.
Negras, longas madeixas desenvoltas
Tombam em caracóis sobre as espáduas
Que um leve manto abriga; inesperada
Em horas tais, naquele desalinho,
Essa mulher, tão só, e ali rezando,
É qual sombra de um túmulo saída,
E cismando ao luar pálida e triste.

XVII

O Trovador surpreso a contemplá-la
Estático se deixa; ergue-se o vulto,
E desatando um soluçar magoado
Com as mãos aperta o seio, e dolorosa
Murmura: "Oh! minha mãe!"

XVIII

A voz mal soa,
O Trovador ardente se arremessa
Àquela amante filha; as mãos lhe toma,
À força a leva junto à luz; encara-a;
E ao ver-lhe o rosto, desprendendo um grito,
Recua um passo, avança outra vez logo,
E exclama: "A Peregrina!..."

XIX

O sobressalto
Represa a voz à virgem do deserto;

Trêmula e pasma alguns momentos fica,
Até que vai serenando; os olhos volve,
E na cruz do senhor súplice os fita,
Como a pedir socorro.

XX

A flama, o ímpeto
De indomável paixão nos olhos fulge
Do Trovador, que férvido devora
Com famintos olhares radiantes
A mulher que idolatra; voa o tempo…
Do êxtase se arranca; cede a impulso
De irresistível força, a mudez rompe,
O ardor abafa, e diz enternecido:

XXI

O Trovador

Ainda bem que o sagrado lenho atentas!
Mulher, que me enlouqueces, não compreendes,
Que essa barreira que entre nós levantas
Só pode ser inspiração do inferno?…
Não vês que a mão de Deus nos aproxima?
Aos pés do altar de Deus não vês que estamos?

A Peregrina

Um piedoso dever guiou meus passos,
Fúnebre aniversário hoje me enluta;
Vim chorar minha mãe no altar da morte.

O Trovador

Da morte embora, amor o altar aceita.
Contigo, ó Peregrina, no áureo trono

Do mais alto dos reis, na humilde choça
Do mais pobre pastor, no fundo escuro
Do mais medonho abismo, encadeado
Sobre a cratera de um vulcão, nos mares
Solto em frágil baixel, num antro horrível,
Num palácio, num túmulo, mas contigo
Me julgara no céu, pois que és anjo!

A Peregrina

E no entanto – *Jamais!...*

O Trovador

Oh! não! não digas,
Por piedade, ó mulher, não mais profiras
Da maldição a frase; nos teus lábios
De tão puro carmim amor se aninhe,
E uma lava infernal nunca os descore.
Tu não sabes, mulher, que ideia lúgubre
Essa palavra ressecada encerra.
Jamais é o suspiro derradeiro
Que aos ouvidos da mãe, nos braços dela
Em seu agonizar exala um filho;
Jamais é lousa eterna, que para sempre
Esmaga num sepulcro uma esperança;
Jamais é do demônio infecto sopro,
Que extingue a luz da vida; é caos informe,
Em que se perde o coração nas trevas;
Jamais é negro abismo, onde se apaga
Sacro archote[8] da fé: é morte da alma;
É do ateísmo inspiração malvada;

8. *Archote*: tocha.

É sentença fatal do impenitente,
Que a eternidade vai penar no inferno.
Oh! não digas *jamais*, mulher, não digas!

A Peregrina

Um pronto desengano é mais profícuo
Do que falsa esperança.

O Trovador

E por que falsa?
Onde acharás amor que ao meu se iguale?...

XXII

Transluz a compaixão no olhar da virgem;
Mais perto do mancebo ao fim se chega,
E fala, dando à voz um tom que enleva.

A Peregrina

Aflige-me esse amor, que te desvaira;
Não te posso pagar; mas devo abrir-te
Uma vez, uma só, toda a minha alma;
Praza[9] ao céu que esse fogo, ao vê-la, acabe.
Insensível não sou; a natureza
Um coração me deu, que se arrebata
Aos impulsos de amor; se em flama ardente
Por um homem meu seio se abraçasse,
Minha paixão o mundo espantaria;
Cega, louca, em delírios me perdera.
Meu amado, a seus pés, cultos rendendo
Ver-me-ia sempre em êxtases divinos.

9. *Prazer* (verbo): aprazer; contentar; agradar.

Se eu sofresse, ocultara as minhas dores
Pra não vê-lo sofrer, agonizante
Rir-me soubera disfarçando a morte.
Sempre a seu lado pra morrer por ele,
Aos tumultos e à guerra o seguiria
Tão de perto que um golpe ambos ferisse.
Eternamente unidos, nossos laços
Nem a morte quebrara; se a desgraça
Me o roubasse na vida, às horas mudas
Da lutuosa noite sós iria
Penetrar no jazigo, erguer-lhe a campa,
Tomar-lhe ao lado o meu lugar de esposa,
Unir os lábios meus aos seus de gelo,
Fogo emprestando a seu cadáver frio,
E estreitada com ele em terno amplexo
Expirar entre lágrimas e beijos.
Se em meu amor porém traída eu fosse
Uma vez... meu furor... oh! nem pensá-lo!
Toda a paixão se tornaria em ódio,
E igual a ela atroz fora a vingança!
Do amante e da rival no sangue impuro
Saciara um ciúme enfurecido,
E insepultos deixando seus cadáveres
De pasto às feras, tombaria exânime,
Ao rebentar o coração de raiva,
Ao som das maldições de um mundo estulto[10],
E votada por Deus às negras fúrias.

XXIII

Redobra a chama que devora o seio
Do infeliz Trovador; luzem-lhe os olhos:

10. *Estulto*: tolo; estúpido; insensato.

Respira a custo da paixão nas ânsias,
E transbordando a alma em lábios trêmulos
Da Peregrina aos pés se atira, e brada:

O Trovador

Dá-me pois esse amor!

A Peregrina

Jamais! – jurei-o:
Voltei-o a Deus; que o não merecem homens.

XXIV

Levanta-se o mancebo; exasperado
As vistas crava no formoso rosto
Da Peregrina; nunca mais brilhantes
Na presa os olhos embebera um tigre!
Rio infernal cintila; mas sublime
Doma a virtude a inspiração satânica,
E o Trovador o peito comprimindo,
Diz a tremer:

"Ingrata! ingrata! eu te amo,
E tu me matas, se este amor não pagas!..."

A Peregrina

Jamais! jamais! quisesse embora amar-te,
Prendem-me juras, e a razão me o inibe.

XXV

Segue um silêncio de momentos breves
Dado aos combates íntimos do espírito.

Anélito aflitivo ao peito escapa
Do Trovador; medita triste a virgem,
E um instante depois suspira e fala.

A Peregrina

Fui o gênio do mal que transviou-te
Da estrada onde fulge a luz da glória.
Mas ah! não te busquei. Dói-me o teu fado;
Sou a flama inocente que procura a morte.
Mancebo, nunca mais na vida possas
Ver outra vez quem motivou teu dano.
Vou fugir-te, e para sempre; ouve no entanto
Na minha história o fúnebre segredo
Da isenção que jurei. És o primeiro
Que assim me escuta; devo-te esse indulto.

Meu pai não conheci; remorso e lágrimas
O berço anuviaram da inocência
Em que juntas dormiram, gêmeos frutos
De um desgraçado amor, duas meninas.
Ainda encerradas no materno ventre
Já nos marcara o infortúnio o selo.
Quando, ao nascer, a um tempo dois vagidos
Eu e mais minha irmã soltamos, logo
Com sinistro piar, presságio infausto,
Agoureira coruja respondeu-nos.
De sangue o laço, um nome de família,
Elo das gerações nunca tivemos.
Era de um crime nossa mãe a vítima,
E o opróbrio seu na solidão sumindo,
Só vivia por nós, morta pro mundo.
Seu pai morrera aos golpes da vergonha,

E com potente voz na extrema hora
Bradara: "Ingrata! a maldição te deixo!
Morrerás desta dor que me assassina,
Das filhas a desonra há de matar-te!"
Esta ideia fatal, pungindo eterna,
Seu coração de mãe angustiava.
E em troco, vezes mil, de nossos beijos
Nos afogando em lágrimas, tremente
Entre as suas as mãos nos comprimia,
E em soluços clamava: "Oh! minhas filhas!
O amor dos homens empeçonha as virgens,
Oh! não ameis! *jamais!*"

Volvem-se os anos;

O ardor da mocidade; o viço, as graças
Em nós fulgindo, a mãe zelosa inquietam;
Temendo o ócio, o tempo que sobeja[11]
Ao religioso ensino doa ao culto
Das letras e das artes; no sacrário
Da solidão que habita nos encerra
Como vestais[12] no reservado templo;
Mas embalde, que a furto os camponeses
Viram-nos já no plácido retiro,
E de uma vã beleza a fama espalham.
Ah! pobre mãe! redobra os teus cuidados,
Que nublado horizonte já troveja,
E iminente anuncia a tempestade.

Aos seus domínios que demoram perto,
Nobre e rico senhor, jovem faustoso,

11. *Sobeja*: sobra; resta.

12. *Vestais*: sacerdotisas da deusa romana Vesta, que deviam manter-se virgens.

Inopinado chega; os cantos soam,
Fervem as festas, jogos e prazeres;
E ao clangor das trombetas, e aos latidos
Dos cães tremem florestas invadidas
Por incansáveis caçadores. Menos
A corça então amedrontou-se aos ecos
Dos tiros que no bosque reboaram,
Do que o materno coração que augura
À prole horrível dano. Esquiva foge
Ao convite que às festas a provoca,
E mais esconde as filhas como as folhas
Na tempestade a sensitiva cerra.
Mas pouco a pouco os regozijos cessam;
Reina o silêncio no palácio, outrora
Pelas funções ruidoso, e solitário
Vive o jovem senhor negado a todos.
A súbita mudança o povo admira,
Que a princípio a murmura e logo a olvida.
O sossego renasce e os dias correm;
Ah! não tarda porém que no semblante
Da irmã transborde um sentimento oculto.
Seu olhar vaga atônito, perdida
Às vezes fica em mágicos enlevos,
E sempre só, à mãe e a mim se furta.
Se cuidadosa inquiro-lhe o que sofre,
Ou não responde ou suspirando corre.
Gemo por vê-la assim, e a toda parte
Sigo-a de manso pra velar por ela.
O arcano enfim desnudo; era uma tarde,
Oh! que sinistra foi! a irmã buscando
Entro no bosque, e à margem de um regato,
De um sassafrás à sombra a seus pés vejo

Transportado um mancebo; ambos se espantam
Ao ruído que faço, o amante foge,
E ela em meus braços cai desfeita em pranto.
Ouço a história de amor – foi como todas –;
Quero mostrar o abismo a que se arroja
A desgraçada. Ai dela! estava cega.
– Sabes tu a quem amas?... – lhe pergunto;
– Um simples camponês belo e modesto,
Que teme ver desmerecer-lhe extremos
A pobreza que a vida lhe amesquinha.
– Precautela-te[13], irmã! – torno-lhe ainda –;
No amor do camponês agouro insídias[14].
– Ele me adora! – Intenta seduzir-te.
– Não, que jura ser meu. – Seus juramentos
São artifícios pérfidos. – E o seu pranto?...
Há quem minta chorando?... – O riso, as lágrimas
Sabe tudo fingir a face do homem. –
Ah!, debalde falei; estava surda;
Só escutava amor; só de amor cuida;
Tudo me conta, e impõe logo um segredo
Que selou com seus beijos nos meus lábios.

O que mais sucedeu já tarde soube.
Um dia às horas em que o sol descamba,
E o crepúsculo da tarde a terra encanta,
Minha irmã, que a paixão não mais reprime,
Arrojada penetra o bosque insano;
(Na alma em que ferve amor não há prudência.)
Do sassafrás sentada à sombra espera
O amante que já tarda; sem que o pense,

13. *Precautelar*: precaver; prevenir.
14. *Insídia*: cilada; traição.

Em doces devaneios se arrebata,
E sonha sem dormir; súbito acorda
De susto a um grito; e os espantados olhos
Lançando em torno, a um lado vê o amante,
Que a espingarda ajustando à fronte pálida
Vai desfechar um tiro, e de outro horrível
Monstruosa serpente erguendo o colo
Prestes a dar o salto sobre a vítima:
Era a morte a seus pés; de pavor cheia:
"Socorro!" brada, o tiro se despede,
A serpe se espedaça, e ainda aterrada
Do amado aos braços a infeliz se atira.
O delírio completa a obra do medo;
Sussurram auras de um profano beijo,
Fere no seio outra serpente a virgem;
E ultrajado da pureza o anjo
Geme fugindo e perde-se no bosque.
Mísera irmã! Surgiu-lhe ao pé do crime
Logo o remorso, e prestes o castigo.
O falso amante a máscara tirando
Do horrível sedutor a face mostra;
O simples camponês despe a pobreza,
E do jovem senhor as galas traja.
A infâmia se consuma; quando a vítima
Do peito arranca mais cruéis gemidos,
Entoam cantos festivais convivas
Do feliz sedutor, graças louvando
Da rica herdeira, que o himeneu[15] lhe entrega.
Do consórcio fatal rebenta a nova,
Qual raio que fulmina; a irmã desmaia,
E quando em nossos braços torna à vida

15. *Himeneu*: virgindade (em sentido figurado).

(Antes logo morrera) estava louca.
Viveu um ano em dor sem lenitivo
Até que Deus enfim se amerceando[16]
Desse mártir de amor, fez dela um anjo,
Que ao céu o voo alçou. Mísera doida,
Reconquistada a razão ao pé do túmulo,
Terna me chama... chega-me aos seus lábios,
E murmura a chorar: "Irmã! não ames!
O amor dos homens empeçonha as virgens;
Oh! não ames... *jamais!*" e nos meus braços
O alento derradeiro exala e morre.

Ah! mal pude chorar a irmã querida!
Fora o golpe tremendo; enferma e velha
Não lhe resiste a pobre mãe: frenética,
A maldição do pai recorda, e ou vele,
Ou durma, na vigília e em sonhos clama:
"Morrerás desta dor, que me assassina;
Das filhas a desonra há de matar-te!"
E uma noite, prevendo o último transe,
Manda que a leve ao túmulo da filha;
Chega, prostra-se, e ora; após, erguida,
Brilhante, fixo olhar febril me crava,
E desprendendo a voz convulsa, fala:
"Eu morro! ela me chama... e tu me perdes;
Quero salvar-te ao menos; de joelhos!...
De joelhos, oh! filha, e sobre a laje
Que os restos cobre dessa triste mártir
Jura de tua irmã pelo cadáver,
E pelo meu, que a morte já pressinto,

16. *Amercear*: apiedar-se; condoer-se.

Jura, sim, que *jamais* nem leve esperança
Darás de amor a um homem; jura, ó filha!"

Pronta me ajoelhei; e sobre o túmulo
Da irmã a destra impondo, fiz solene
O austero juramento; um grito da alma
Rompe de minha mãe; "*Jamais!*" exclama,
"*Jamais!*" e de improviso cai sem vida.

XXVI

Toma um soluço a voz à Peregrina,
E inunda a face doloroso pranto,
Como o orvalho do céu rocia[17] um lírio;
Mas logo a dor sufoca e já tranquila
Serena erguendo a fronte assim prossegue:

A Peregrina

Eterno luto aos olhos meus vestiram
Da minha infância os campos; fugi deles;
Quebrado tinha a morte os laços todos,
Que à terra me prendiam; pátrio solo
De horrendo sacrifício altar infame
Servira a um sedutor, e ainda saudades
Chorou-me o coração deixando o berço,
Onde infantis me despontaram graças!
Venço longínqua marcha, e ao fim descubro
Sossegado retiro, em que me esconda,
A ele me acolhi, buscando o olvido;
E em solitária vida esqueço o mundo,

17. *Rociar*: cobrir de orvalho.

Homens esqueço ou temo, e só me lembra
Da irmã, que expira, a voz em despedida,
Que trêmula murmura: "Irmã, não ames;
O amor dos homens empeçonha as virgens!
Oh não ames! *Jamais!*" e o juramento
Também me lembra dado sobre um túmulo,
E saberei cumpri-lo até que morra.
Ouviste a minha história; em laço fúnebre
Prende meu coração a dois cadáveres:
Deixa-me agora, Trovador, e foge,
Que *jamais* há de amar-te a Peregrina.

XXVII

Presa aos lábios da virgem se deixara
Com os olhos longos a alma do mancebo,
Que a história lhe escutou enternecido,
E só ao termo, quando a vê chegada,
Lhe torna tristemente:

O Trovador

Insanos casos
Enlutaram-te a vida, ó Peregrina,
Pro mundo aborrecer razão te sobra;
Mas não punas em mim crimes alheios!
É santo o meu amor!...

A Peregrina

E o juramento?

O Trovador

Fatal delírio precursor da morte
Juras forçadas validar não pode.

Embora; hei de cumpri-las; devo, e quero.
O amor dos homens empeçonha as virgens,
E mais sublime um outro amor me exalta.
Da terra, em que somente a dor provara,
Meus sentidos alcei ao céu piedoso;
Vi na contemplação o que não vira
Na vida tormentosa; concentrei-me
No mundo íntimo da alma, e seus tesouros
Pouco a pouco explorando, embevecida,
O mais profundo, ardente, e belo, e puro,
Brilhou o amor de Deus; oh! sou ditosa!
Deu-me esse amor beatitude e glória.
Vi dos olhos de Deus ao almo[18] fogo
A vida rebentar na imensidade,
E encher a terra, o mar, o espaço, os astros.
Vi no seio de Deus, como em seus olhos
O infinito azul na luz, no amor, na graça;
Vi Deus, a perfeição, o belo eterno,
Todo se dando aos gozos de minha alma:
Goza-se Deus, e o gozo não fatiga,
E no êxtase o gozo beatifica.
Em supremas delícias, Deus amando,
Toda no amado seu se embebe a alma.
É um fogo este amor; mas não devora,
Eleva-nos ao céu antes da morte.
É o nó sagrado de himeneu[19] divino,
Que ao meu amado e meu Senhor me aduna.
É Deus o esposo que a pureza vela
Da virgem que em celeste amor se abrasa;

18. *Almo*: benéfico; santo.
19. *Himeneu*: casamento; bodas (em sentido próprio).

Quanto mais pura mais esposa é ela,
E eu sou pura! sou dele! a Deus só amo!

O Trovador

Mais que nunca te adoro, *ó* Peregrina!
Rutilas como um anjo sacras flamas;
Mas vês que sem que o penses Deus ofendes.
Não são das virgens só as alvas frontes
Que cingem coroas da divina graça;
Também Sara e Raquel, também Rebeca[20],
Flores são do Senhor, e ledas[21] fulgem
No excelso paraíso. A sacra chave
Que abre as portas do céu é a virtude,
Fonte de amor sublime; Deus acolhe
Ao seio a virgem como acolhe a esposa,
Se a virgem como esposa é digna dele.
Vem! sê minha! sê minha, *ó* Peregrina!
Vem ao templo sagrar eternos laços
Que a Deus são gratos, e a pureza aplaude;
Cumpre a lei do Senhor dobrando o colo
Ao amor, que é do mundo luz e vida.
Ser filha, esposa e mãe, eis o destino,
A tríplice missão que à mulher coube.
Deus abre a flor pra anunciar o fruto,
E faz que exale amor em seus perfumes!
Oh! Peregrina! atende, é Deus que ordena;
Abranda essa isenção! amor me paga!…

20. Sara, Raquel e Rebeca são personagens bíblicas. A primeira foi esposa de Abraão e mãe de Isaac; a segunda, filha de Labão, casou-se com Jacó e foi mãe de José do Egito e de Benjamim; a terceira, irmã de Labão, casada com Isaac e mãe de Esaú e Jacó.

21. *Ledas*: felizes; contentes.

A Peregrina

Jamais! Jamais!

O Trovador

Escuta: hora solene
É esta para nós ambos. Não simulo
Ardores falsos; tenho na alma o inferno,
E um negro pensamento a obumbra toda.
É solene esta hora, e nela é força
Que ou a morte me dês ou felicidade.
Sem ti não quero a vida; o mundo é orco[22]
Horrível, se a esperança em nós se apaga;
E as esperanças todas tu resumes,
Que me raiavam tantas! sim, decide;
Algoz ou anjo, fala: ou mata ou salva.
Ah! desejo de viver! salva-me, ó anjo!
O teu amor pode encantar-me a vida,
Como aos lábios o riso, aos céus a aurora,
E o teu desprezo ao báratro me atira.
Não vês como te adoro?... nestes olhos
Não falam chamas?... nestes lábios trêmulos
Não falam a convulsão?... no macilento
Já descarnado rosto a dor não fala?...
Não fala mais que tudo esta demência
Que à perdição me arrasta?... *ó* Peregrina!
Nem mesmo eu sei com que paixão te adoro!
Não é da terra, não, que eu sinto nela
A eternidade que é dos céus a essência;
Do céu também não é, que a vejo às vezes
Em raiva transformada, e a raiva é crime.

22. *Orco*: o mundo dos mortos; inferno.

Oh! talvez que ela seja o amor do inferno,
Se desprezo invencível... não, não deves!
Amo-te muito! não serás ingrata.

A Peregrina

Assim falava o camponês fingido!

O Trovador

A traição com a virtude não confundas.
Aqui, no altar de Deus, vem que eu te juro
Dedicar-te com amor a vida inteira.
Pelo sol que aviventa a natureza,
Por minha honra enquanto vivo, e morto
Por minha alma que aspira à eterna glória,
De meu pai pelas cinzas que me escutam
Do túmulo em que jazem; pelos seios
De ternura e de amor fontes sagradas,
Onde infante bebi materno leite,
Por Deus, enfim!, por Deus que lê nas almas,
Por Deus que a meu favor agora impreco[23],
Juro-te amor profundo, infindo e santo.

A Peregrina

O camponês fingido assim jurava!

O Trovador

Oh! paga-me este amor!

A Peregrina

Jamais!

23. *Imprecar*: pedir, rogar.

O Trovador

É muito.
Basta, que é muito já; de ti me parto
E te deixo, mulher, atroz remorso.
És meu algoz, podendo ser um anjo!
Ainda uma palavra – a derradeira –
E depois nunca mais vivo hás de ver-me;
Que morto... pode ser! – não creio ao menos
Que esse amor esfriar consiga a lousa,
E talvez minha sombra triste... pálida
Venha seguir-te na mansão da vida;
Então não a maldigas... não me odeies
Na eternidade já. – Adeus! eu parto;
Minha mísera mãe desamparada
Na terra fica em aflições submersa,
Peregrina, consola-a! tu que és causa
De lhe morrer a prole, se puderes
Chora com ela, que nos transes da alma
O pranto só se adoça com outro pranto.

A Peregrina

Tanta fraqueza num cristão é crime.

O Trovador

Falas em crime, tu?... mas ah! que importa?...
Sim, criminoso sou; sondei o abismo,
Onde as fúrias que esperam o suicida
Garras estendem já; sou criminoso!
E eterno, como o amor que inspira o crime,
De minha alma o tormento há de punir-me.
Que destino fatal! a paixão nefanda!

Vivo, esse amor que o seio dilacera
Pelo mundo me lança exasperado,
Qual réprobo Caim[24] que errante vaga
Da maldição de Deus seguido sempre;
Morto, esse amor atira-me ao demônio,
Que em hórridas torturas me flagela
Sem acabar de atormentar-me nunca!
Mulher, triunfa! a perdição cumpriu-se;
Já uma alma de mais deve-te o inferno.
Teus encantos, mulher, insídia ocultam,
De flores são um pérfido tecido,
Que a boca escondem de medonho abismo
Em cujo fundo a morte aguarda a presa.
Acendeu-te Satã o olhar de fogo,
Como tu, também olha a serpe às vezes!
No rir dos lábios teus filtras veneno,
E em teu doce falar canta a perfídia;
Toda inteira és traição, frio egoísmo,
Mentira, hipocrisia! eu te abomino;
Mulher, que me perdeste, horror me causas!
Eu te detesto... vai-te, foge... Oh!... para!...
Não fujas, não; perdoa ao desvairado;
Peregrina, eu te adoro, muito! oh, muito!
Sempre, cada vez mais, não me repilas;
Peço-te a vida... a vida... eu quero a vida!...
Amor!

A Peregrina

Jamais! Jamais!

24. *Caim*: personagem bíblica; filho de Adão e Eva; assassino de seu irmão Abel.

XXVIII

E de improviso
Das mãos do Trovador, que aos pés lhe estava,
Arranca a virgem mal seguras vestes,
E veloz, do temor nas leves asas,
Do mudo pátio arrebatada foge.

XXIX

Ergue-se rápido o infeliz amante,
E, qual após a vida, corre presto
Da virgem fugitiva em seguimento;
Das campas através cego se atira,
Numa lousa tropeça, e cai sobre ela,
Fere a cabeça (tinge o sangue a pedra),
E ainda no desmaiar "amor!" exclama.

XXX

E em vez de amor "*Jamais!*" responde o eco.

XXXI

Da noite as brisas e o celeste orvalho
Chamam à vida o mísero mancebo.
Pesada a fronte ergueu; apalpa em torno,
E encontra a lousa em pó; sinistra ideia
Em sorrir de ironia se transforma,
Da alma passando aos lábios; pó e lousa!
Irrecusável fim da humanidade,
Da raça humana desengano certo!
A lousa! o mudo asilo do cadáver,
Umbral da eternidade, arca do olvido,

Escura porta de um mistério imenso!
O pó! o corpo do homem, que o homem pisa,
Plebeia origem da criação vaidosa,
Miséria que o pastor e os reis irmana,
Nada tremendo, que é da vida o *tudo*!...
A lousa e o pó – a eternidade e a morte!

XXXII

Os olhos ainda turvos lança em torno
O infeliz Trovador; na dúbia mente
Vão-se as ideias ordenando aos poucos
Como do inverno nas manhãs nublosas
De um mar de cerração, que o sol desmancha,
Surgem montes agora, logo outeiros,
Ilhas verdes num lago cor de prata.

XXXIII

Só, isolado na mansão da morte,
Quase no caos das trevas engolfado,
Pois que apenas soluça triste lâmpada
Vacilantes clarões de luz de angústia,
Como arrancos finais de um moribundo,
O Trovador medita ao pé de um túmulo,
E sobre as campas que ao redor se alinham,
Sentinelas do pó, ficções dos vivos,
Pelos poros das lousas traspassando,
Melancólicas velam mudas sombras.

XXXIV

O meditar sem luz é sempre amargo;
São todos cor da noite os pensamentos;

No entanto irrefletida a alma se deixa
Da tristeza levar, qual flor mimosa
A torrente em que cai, se abandonando
Arrebatada vai, onde?... nem sabe...
Talvez a um antro, que devora as flores.

XXXV

Longa hora passou, e ainda cismando
Se olvida o Trovador; mas na capela
Outra vez se ouvem passos; pelas fendas
De arruinadas paredes, fraca embora,
Vem uma luz adelgaçar[25] as trevas;
Ao estranho ruído os sonhos da alma
Espantam-se, o mancebo volta ao mundo,
Ergue-se e atenta do jazigo a porta.

XXXVI

Um vulto de mulher visita os mortos,
E é qual refere a tradição do povo;
Traja negros vestidos, seus cabelos
Da idade o gelo embranquecera todos,
E uma lanterna, que sustém a destra,
Aos pés, que arrastam já, mostra o caminho.
Tinha o povo razão, não mente a crença;
Eis quem acende a lâmpada funérea;
Mas será sombra ou alma de um finado?...

XXXVII

Procura embalde o Trovador conter-se;
Presto e violento o coração palpita;

25. *Adelgaçar*: estreitar; enfraquecer.

Não pode – vai; ao vê-lo aproximar-se
O vulto para, e firme espera; um passo
Apenas entre os dois medeia agora;
Lanterna, que se ergueu, luz no semblante
De um e de outro a um só tempo, e cai por terra;
Morre a chama; dois gritos se desatam;
"Meu filho!!! – Minha mãe!!!" soluçam ambos
Mãe e filho abraçados ternamente.

XXXVIII

Enfim triunfa o coração do pranto;
Perdura ainda o agonizar de lâmpada,
E esses clarões de longo espaço acesos
De amor aos olhos são riquezas agora.
Onde chega mais luz os dois se ajuntam,
E como louca embevecida a velha
Sem falar (que a surpresa a voz lhe toma)
Vai com as trêmulas mãos palpando o rosto
Os cabelos, os olhos, seio e braços
Do amado filho, que também não fala;
Os vestidos lhe beija, as mãos, a fronte,
E de novo a chorar banha-se em lágrimas,
E o abraça outra vez, e afaga e beija.

XXXIX

Alma cheia de amor quer mil caminhos,
Em que o afeto as explosões transbordem;
Não basta o pranto, a voz se desenlaça.

A Mãe

Meu filho! és tu?... és tu, meu filho amado?...
Tu que voltas a meu seio?... o céu te manda?...

Oh! meu Deus, que fiz para valer tanto?...
É meu filho! ele mesmo... vive ainda!
Oh! dez anos de ausência! e tu não falas?!
Fala! o nome de mãe soe em teus lábios;
Quero ouvir tua voz... preciso... quero...

O Trovador

Oh! minha mãe! melhor do que os meus lábios
Não te responde o pranto que derramo!...
Minha mãe!...

A Mãe

Sim... é ele... a voz é dele!
A voz do filho amado! basta: agora
Não fales mais... escuta-me somente;
Deixa esgotar as falas de dez anos,
Que em silêncio sem ti passado tenho.
O coração, tu sabes, ficou mudo,
A ninguém mais ouviu, ninguém o ouvia.
Ah! por que me fugiste?... onde é que foras,
Que amor como o de mãe achar pudesses?...
Filho! filho! uma mãe (só mães o sentem)
É o símbolo do amor mais puro e santo,
Amor que nunca esfria e sempre avulta,
Qualquer que seja o tempo, o transe, o fado.
Extremosa, nem vê do filho os erros;
É feliz só com a dita de seu filho;
Só desgraçada se a desgraça o fere.
Se um crime o nodoou[26], mesmo no crime
Ama-o sublime, desdenhando o mundo;

26. *Nodoar*: enodoar; manchar; sujar; desonrar (em sentido figurado).

Que tem com o mundo? O crime, que lhe importa?
Lá no céu está Deus para perdoá-lo,
E ela na terra para amar seu filho.
E pudeste fugir-me?... assim dez anos
Esquecer tua mãe? ingrato! ingrato!...

O Trovador

Ah! minha mãe! perdão!...

A Mãe

Quero eu punir-te?
Punir-te quando voltas aos meus braços?...
Sentes que tens sido ingrato? amo-te em dobro
Agora que volvestes arrependido.
Abraça-me outra vez; oh! são dez anos
Perdidos sem beijar meu caro filho!
Dez anos voam do prazer nas asas;
Quando os dias porém conta a saudade,
Os instantes são anos que se arrastam.
Custam muito dois lustros de amarguras!...
Vê os vestígios seus; olha, meu filho,
Aquelas negras tranças aneladas,
Enlevo de teu pai, não vês grisalhas?
Na dor envelheci, coroa-me a neve.
Aquele esbelto corpo onde a magia
Da graça cintilou, não vês curvado?
Tronco velho, quebrou-me a tempestade.
Olha...

O Trovador

Não mais; que ralam-me os remorsos!
Leio meu crime no materno aspecto.

Sou maldito de Deus! Tinha em meu seio
Sagrada flor que Deus ali plantara,
E plantei ao pé dela a flor do mundo.
O seio me envenena a flor profana,
E seus eflúvios[27] miasmas são pestíferos;
Está profanado o seio; eu sou maldito!
Esqueci minha mãe, sou réu de infâmia,
Sou maldito de Deus, sou condenado!

A Mãe

És meu filho! por mim Deus te perdoa.
Que temos com o passado? ele é dos mortos;
O futuro é do eterno, e a felicidade
No presente inebria as almas nossas.
Perpetuemos, filho, esta ventura;
Nunca mais fera ausência nos separe,
E para sempre lançado ao caos do olvido
Esse funesto amor...

O Trovador

Ah! que o despertas!...
É um flagelo da alma que incessante
A vida me atribula; é negra sina;
Mão de fogo que dilacera o seio,
Ímã da maldição fatal que se mascara
De anjo com o rosto, e num gelado amplexo
Em seus braços de ferro me sufoca;
Embora!... ainda esse amor pode em mim tudo!
E embalde o tento, seus grilhões não quebro.

27. *Eflúvios*: emanações; irradiações.

A Mãe

E hás de fugir-me?

O Trovador

Minha mãe, perdoa!
Pelo que faz o louco não responde,
E é loucura este amor: tremendo golpe,
Sinistro, embora, inevitável sendo,
Cumpre dispor o ânimo a sofrê-lo;
Hoje, amanhã, inesperada, é certo
Que a morte chega a todos nós um dia.
Não é desgraça a morte, é paz eterna;
Não te exasperes pois; morreu-te o filho;
Este que vês aqui é sombra dele.
É viver esperar – eu nada espero.
Já não vivo, só falta entrar no túmulo.

A Mãe

Ingrato filho! assim da mãe te esqueces?...
Assim tu me abandonas?... Deus piedoso!
Ai! vou desamparada errar na terra,
Enferma e velha, sem que um braço tenha
A que me arrime nos cansados anos!
Morta, os olhos ninguém virá cerrar-me,
Nem rezar por minha alma ao pé da campa!
Quem dirá que sou mãe e tenho um filho?...
Ingrato, dei-te a vida e tu me matas!
Oh!... tua mãe!... que já te amava ansiosa
Antes mesmo que a luz visses do mundo,
Invisível sentindo-te no seio!...
Que por ti vezes mil volvera os olhos

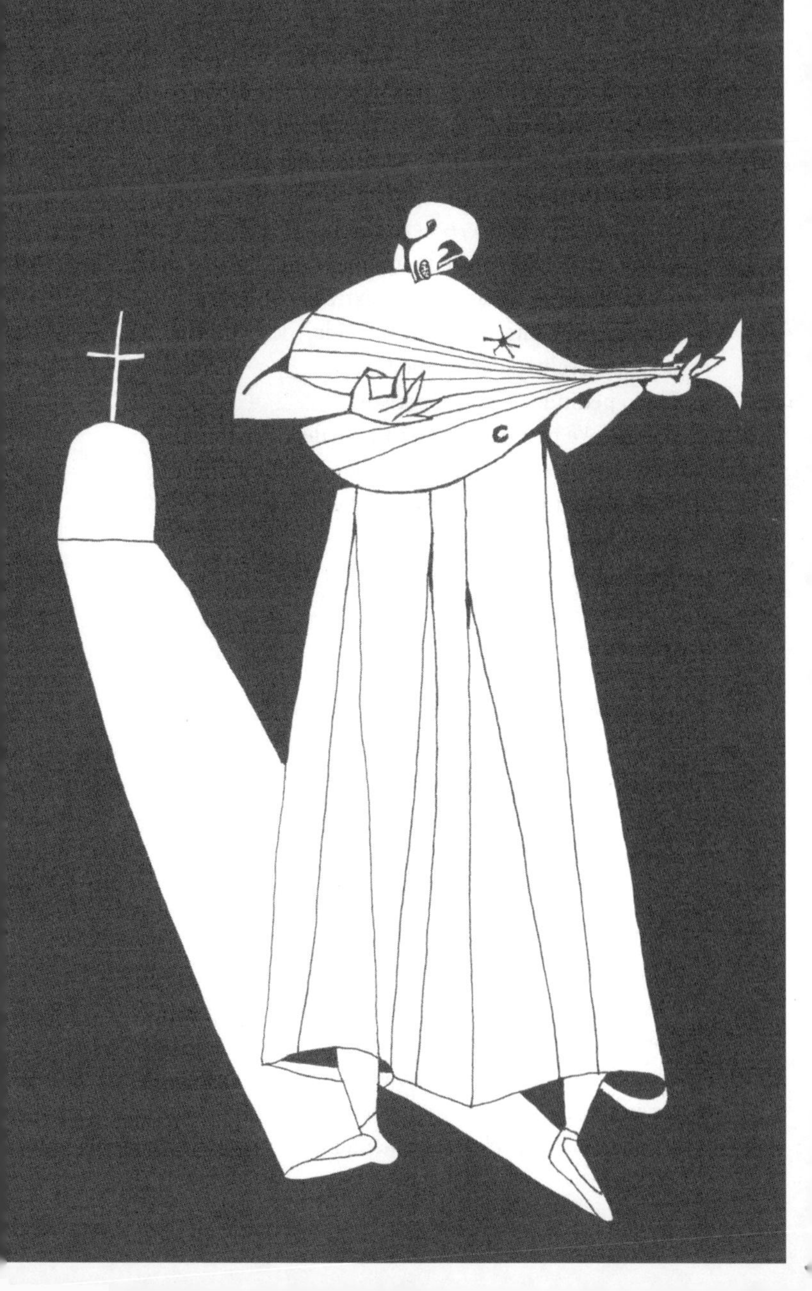

De uma esperança dúbia para a morte,
Do seio para o túmulo volvendo-os!
Que ao teu nascer a dor provou suprema;
Que a teu grito primeiro a alma tremeu-lhe;
E a teu primeiro rir chorou de encanto!
Que vivia de olhar-te, e a cada instante
Com seus beijos o rosto te inundava;
Que feliz por te amar, sempre extremosa,
Deu-te o seu leite; que te dera a vida,
A própria salvação, nada pedindo,
Ou só pedindo afagos e sorrisos!...
Oh! filho! e tu me esqueces? tu me deixas?
Queres morrer... matar-me? e por quem morres?
O olhar de uma mulher estranha em tudo,
Talvez um riso ou frase astuciosa
Mais que o materno amor merece e pode!...
Fera contradição! vil natureza,
Que faz de um filho amado um filho ingrato!...
Detesto essa mulher!... e tu comigo
Aborrecê-la deves!... sim, maldita,
Ela que te despreza e que me usurpa
Um coração meu só! és meu!... gerei-te!
Meu filho, ela te odeia, eu te idolatro!...

XL

Da Peregrina a bárbara esquivança
Sem o golpe medir a mãe recorda;
E as frases soam na alma do mancebo
Como o tinir dos ferros e cadeias
Aos ouvidos do aflito prisioneiro;
Assoma-lhe com a dor ímpia demência,
Olvida a mãe que chora, e truculento

Nas garras do delírio estrebuchando,
E os dentes a ranger, responde em fúria.

O Trovador

Eu sei que ela me odeia, e eu a amo ainda!
A sorte foi lançada, o inferno ganha.
Vês, triste mãe, a lua tão brilhante
Que no céu se desliza? vês na extrema
Do horizonte a montanha que negreja?...
É esse o abismo em que se afunda a lua:
E esta noite (a sentença está lavrada),
Quando no seio da montanha escura
A lua se embeber, hei de embeber-me
No mar também, que açoita a Rocha Negra.

A Mãe

Meu filho!...

XLI

Era arrancado das entranhas
Esse brado de mãe; mas de repente
Some-se a lua atrás de negra nuvem,
E a lâmpada, exalando extrema flama,
Extingui-se de todo; aflita a velha
Ia entre os braços agarrar o filho,
Mas na sombra perdida cede ao instinto,
Corre à lâmpada... embalde... reinam trevas.

XLII

O Trovador aos ímpetos do afeto
Vaga de novo em torno dos sepulcros;

Vive ainda ou nem vive, que insensível
Tomado de uma inércia irmã da morte
A poucos passos cai sobre uma campa,
E sentado a sorrir um riso fero,
Que bem coubera aos lábios de um possesso,
Nada vê, nada escuta e nada cuida.

XLIII

Em vão a infeliz mãe procura o filho;
Brada por ele, e só responde o eco;
Ululando a correr estende os braços
Para nas trevas apanhar o ingrato,
E só trevas abraça; arrebatada,
Talvez longe supondo o desgraçado,
E sem que a idade lhe demore os passos,
Rompe rápida em marcha desabrida,
Furiosa, terrível como a tigre,
A quem um caçador matara a prole.

Canto V

A Mãe

I

A noite se adianta; dorme a terra;
Inflamado batel, no céu resvala
O espaço abrilhantando argêntea lua,
Choram as nuvens lágrimas de orvalho,
E as auras que bafejam perfumadas
Da terra um doce respirar simulam,
Que serena dormindo sonha amores
Embebida na luz propícia às fadas.

II

Sobre colina que avassala em torno
Vales formosos de eternal verdura,
Dentre os bosques assoma, rindo aos bosques,
Da solidão princesa graciosa,
Do deserto ufania, linda casa,
Que aos clarões do luar cândida alveja.
Em roda e pelo outeiro se desdobram
Jardins, cujo cultor só planta e zela
Flores, que odor exalam; nos arbustos
Aves se aninham sonoras todas:
Perto murmura sonolento arroio,
Onde se espelham leques de palmeira,
Que ao bafejar dos zéfiros balançam.

III

A noite se adianta; dorme a terra;
No solitário lar, flor da colina,
Doce repousa plácida inocência:
Na habitação da paz o sono é fácil.

IV

Insólito labor de um dia acerbo,
Do jazigo a visita, a cena ardente
Representada à face dos sepulcros,
Triste lembrança da materna perda,
Tudo convida a Peregrina ao leito.
Ah! que nem sempre aí mora o sossego,
Que dele sequioso o vivo espera;
Nem sempre varre da alma um sono amigo
Os cuidados que a vida vão mirrando.

V

A casa do deserto é casto albergue
Em que moram somente moças virgens;
Formam donzelas corte à Peregrina,
E em perfumes e cantos engolfadas
Fruem ali o néctar da virtude.

VI

Mas é noite; em seu manto de papoulas
As donzelas acolhe um brando sono.
Em vasta sala que as janelas abre
Para o remanso de escolhidas flores,
Descansa a Peregrina; em doces ondas

De perfumes fagueiras vêm as auras
Brincar com as telas de virgíneo leito;
Da mãe de Deus a imagem sacrossanta
Em áureo quadro à cabeceira pende;
Dorme feliz a cândida donzela,
E das roupas finíssimas e brancas,
Sob as quais lindas formas se desenham,
Um colo, que no alvor supera a neve,
E um rosto divinal surgem formosos,
Onde estão os encantos pululando
Através das madeixas atrevidas,
Que soltas vão pousar no seio e face,
Nublando graças que paixões acendem.
Um braço nu, que das cobertas foge,
Tipo de perfeição meigo se dobra,
As telas conchegando ao níveo seio,
Instinto de pudor, ainda no sono.
De uma janela aos zéfiros aberta
Vê-se no céu a lua, e a lua afável
De luz derrama enchentes sobre o leito,
Contemplando, qual anjo adormecido,
Imersa a Peregrina em seus fulgores.

VII

Ela dorme, e é tão leve o seu alento,
Que ao peito foge e esvai-se imperceptível,
Como se esvai das rosas o perfume.
É da inocência o hálito suave,
Que pelos lábios de carmim se exala.
Dorme feliz… – Mas súbito vacila;
Contraindo-se vão da face os músculos,
Treme-lhe a destra sobre o peito, e aos poucos

Crescendo a inquietação, começa o transe;
De anélito cruel arfa-lhe o seio;
Gotas borbulham de suor na fronte;
Espalha-se no rosto o espanto, ou o medo,
Perdem os lábios o rubor; os braços
Pela aflição debatem-se agitados;

VIII

Mas que é o sonho?... – Às vezes vã quimera,
Brinco da fantasia, o sonho é nada;
É a ilusão, que o acordar dissipa
Como o fantasma de impalpável fumo,
Que ao impulso das brisas se desmancha;
Mas às vezes também enquanto inerte
Ao sono o lasso[1] corpo se abandona,
Em lucidez pasmosa a alma acendida
Como que invade do futuro as raias[2],
O sucesso prevê, que é longe ainda,
E denso véu rompendo arrasa e mostra
Arcanos que profundo esconde o fado.
Eis o sonho; um mistério indecifrável,
Que o sábio não resolve, e Deus reserva.

IX

A Peregrina sonha: – treda fada
De feio aspecto e faiscantes olhos
Praguenta e má vociferando horrores,
Na câmara penetra e avança ao leito;

1. *Lasso*: cansado.
2. *Raias*: fronteiras.

Com as musculosas mãos, que aos poucos tomam
Medonhas proporções, crescendo enormes,
Pelas madeixas que enriçara[3] o medo
Agarra a Peregrina; um grito solta,
Sinistra imprecação ao longe ecoa,
E de poder satânico inspirada
Através da janela invade o espaço;
Condor do inferno pelos ares voa,
(Oblíquo vai seu corpo) e o braço estira
Pelas tranças levando a Peregrina.
Negra era a noite; um ar pesado e quente
Da arrebatada presa o peito anseia.
A fada voa sempre, rompe as nuvens;
Onde não sobem águias, sobe altiva;
Novo brado desprende, o mundo treme,
Brame um trovão, um raio se desata,
Na longe terra divisada apenas
De assombroso vulcão luz a cratera,
Que em torrentes vomita rubras flamas;
Desencadeia a tempestade as fúrias,
Precipita-se a fada em vão rugindo,
As vestes desenvoltas o ar suspende,
Com os vermelhos cabelos ouriçados,
E os pés pro céu, e a fronte pro inferno,
Cai no vulcão, que ao devorá-la estoura,
E a mergulha nas férvidas entranhas,
Sulfuroso vapor lançando às nuvens.
Fulge logo no céu brilhante a lua,
A natureza bonançosa esplende;
Mas tomada de encanto irresistível,

3. *Enriçar*: arrepiar; encrespar; ouriçar.

No espaço abandonada, a Peregrina,
Suspensa como um astro, permanece.
Baixa os olhos à terra: – o mar se estende
Imenso, e entre mil rochas uma avulta
Alta e tão alta que topeta as nuvens,
De cujo cimo contemplando as ondas
O Trovador (é ele!) a morte invoca.
Perto e onde mais clara a praia alveja,
Da Peregrina a sombra, que impalpável
No chão se projetava, pouco a pouco
Levantando-se vai como um fantasma
E imóvel fica; exasperada velha
A breves passos ululando mostra
Na rocha o Trovador: voam nos ares
Anjos mil em desordem comovidos,
E suspensa no espaço, olhando, a virgem
Vê num dos anjos o materno aspecto;
Eles e a velha em lágrimas desfeitos
O rochedo apontando à sombra falam
– *Salva-o!* –, clamando, e a sombra fica imóvel;
Vai dar o Trovador o salto horrendo,
Estrebucha de dor a Peregrina,
E à própria sombra grita – *salva-o!* – e ainda
A sombra não se move; ao mar se arroja
O mancebo; – *maldita!* – os anjos bradam,
E esse, que a virgem pela mãe tomara,
Voa, na queda o Trovador suspende,
Leva-o nas asas e pro céu remonta;
Em medonho dragão torna-se a velha,
À sombra se arremessa e a despedaça,
E como se em seu corpo os golpes fossem
Atrozes garras sente a Peregrina

Retalhando-lhe as carnes; fundo abalo
Revolve a natureza... estrondo enorme
Arrebata; do céu estala a abóbada,
E por entre as imensas fendas jorram
Chamas em borbotões, e chovem raios:
Lua, estrelas no pélago se afundam,
É tudo horror, e horrorizada a virgem
Desperta em ânsias, arrancando um grito.

X

Trêmula e cheia de pavor, os olhos
Volvendo em torno temerosa ainda,
Procura os seres que a dormir sonhara;
Menos aflita enfim do leito se ergue,
Aos pés da mãe de Deus ora fervente,
Encomenda-se a ela, a imagem beija,
E mercê da oração tranquilizada
Volta de novo e ao sono se abandona.

XI

No sonho ainda reflete alguns momentos,
Ligeiros, curtos, porque fácil dorme;
Mas outra vez o espírito agitado
A mesma, toda igual, já vista cena
Aos olhos lhe figura: – a fada horrível,
O vulcão que a devora, o céu brilhante,
A sombra, a rocha, o Trovador e a velha,
Os anjos, dentre os quais num reconhece;
Da mãe defunta o rosto compassivo,
E no meio do horror, que tudo abisma,
Acorda ao eco de apressados golpes,

E de um gemer pungente de agonia,
Que do lar solitário à porta soam.

XII

"Batem, senhora!"

A Peregrina

Mas quem é? tão tarde!...
"Uma triste mulher que chora e grita.
É desgraçada ou louca; ouvis, senhora?...
De novo bate, e com dobrada força."

A Peregrina

E que pretende?
"Entrar e já falar-vos."

A Peregrina

Dizes que chora?
"Oh! muito! exasperada
Não sei que seja; ou se perdeu no bosque,
Ou algum malfeitor matou-lhe o filho,
Que a tentar defendê-la..."

A Peregrina

Abre-lhe a porta;
Traze-a depressa, e deixa-a só comigo.

XIII

Rápida e em sobressalto a Peregrina
Toma um leve vestido, e quando intenta

Da noturna visita assustadora
Ao encontro ir correndo, arrebatado
Na câmara penetra um negro vulto,
Que se lançando a ela como em fúria:
"És tu?… és tu?…" pergunta.

Mal respira

A Peregrina, e treme aos olhos tendo
A mesma velha que nos sonhos vira,
No parecer, na idade semelhante,
Nos vestidos também, no olhar de chamas,
Nos modos e na voz… em tudo a mesma.

XIV

A Mãe

És tu?… responde; és tu?… depressa fala!
Ah! não vês que um momento hoje perdido
Pode a vida custar do amado filho?…
A lua está voando!…

A Peregrina

Oh! Deus! que sonho!…

A Mãe

És tu a Peregrina?…

A Peregrina

Sim

A Mãe

Pois corre!
Vem comigo… que esperas?… tu resistes?…

Pois não tiveste mãe?… mãe que te amava?…
Que para não ver-te morta dera a vida?…
Oh! depressa… eis a lua… está voando…
Sempre tão tarda, tão veloz agora!
Oh! meu filho!… corramos, Peregrina,
Por teus pais, por tua alma, por teu anjo!…
Tem compaixão de mim!…

A Peregrina

Nada compreendo…
Não sei quem és, nem sei o que me pedes;
Vejo que sofres; mas quem és?… responde.

A Mãe

A mãe do Trovador…

A Peregrina

Oh! sonho! oh! sonho!

A Mãe

É tempo… corre…

A Peregrina

Onde?

A Mãe

À Rocha Negra
Não sabes que é dali que o amor infausto
Nas ondas afogar intenta
Infeliz Trovador?…

A Peregrina

Oh! sempre o sonho!
Meu Deus, se acaso foi celeste aviso,
A mente me aclarai!

A Mãe

E as horas fogem!
E a morte se aproxima e tu não corres!...

A Peregrina

Amanhã...

A Mãe

Amanhã... a eternidade!
Mulher fatal, não te condói meu pranto!...
Pobre velha, ai de mim! só tenho um filho...
Riqueza, glória, luz, vida, esperança,
Tudo, tudo que é meu consiste nele;
– E esta lua que voa!... – Oh! Deus eterno,
Uma hora sequer detém a lua! –
Ah! sufoca-me a dor... nem sei que digo!
Peregrina, meu filho a ti se prende!
Morre por teu rigor... sou mãe... piedade!
Já me roubaste o seu amor... que me importa?
Faze-o viver, e seja teu somente...
Salva-o! salva meu filho... ó Peregrina!...

XV

Entre o receio e a compaixão vacila
A formosa donzela, e angustiada

A pobre velha mãe as mãos lhe aperta,
E olhos onde fuzila o desespero
A despeito do pranto que os inunda
Como os raios do céu na tempestade,
No rosto lhe cravando, aos pés se atira
Da Peregrina, e de joelhos clama.

A Mãe

Eis-me aqui a teus pés, ó minha filha!...
Não me levantes, não; só pra seguir-me.
Vês-me chorando?... estanca-me estas lágrimas;
Podes querendo em risos transformá-las!
Tu és virgem cristã, por que o não fazes?...
Recorda a própria mãe quando me olhares!...
Quem socorre a velhice a Deus venera.
Sou mãe, sou velha... deves ser piedosa.
Está no teu poder salvar meu filho,
Anjo no rosto, cumpre sê-lo na alma...
Oh! salva-o! salva-o!... que serás meu anjo.
Escuta: ele jurou ao mar lançar-se,
E há de fazê-lo, que o jurou... não tarda
Fatal prazo sinistro! – e a lua, a lua!
Ela avança, e com ela avança a morte!
Compaixão, Peregrina!... não me atendes?
Ai mísera de mim! mãe sem ventura...
Não me escutas, mulher? de mim não falo...
Esmaga embora com teus pés meu rosto,
Insulta as minhas cãs[4], fere o meu peito,
Despreza a velha, ri das minhas rugas;
Mas condói-te da mãe! sou mãe! piedade!...

4. *Cãs*: cabelos brancos.

Quero meu filho!… sim!… meu filho amado!…
Escuta a religião… ouve a virtude…
Ouve os anjos do céu que estão bradando:
Salva-o! salva-o!…

A Peregrina

Assim bradavam anjos
No meu sonho também!

XVI

Acesa em raiva
Ergue-se a aflita mãe que em vão gastara
Tantas preces e lágrimas; dardejam
Ódio e vingança os olhos seus agora,
E em delírio e furor convulsa exclama:

A Mãe

Tigre que o aspecto de mulher simulas,
Tigre no coração, matas meu filho!
Ei-lo na Rocha Negra, ao pé da morte
Ainda saudoso o nome teu murmura;
A mãe olvida e só de ti se lembra,
De ti, que ouvindo tanto ainda não choras!…
Ei-lo que fita no horizonte os olhos…
Some-se a lua… o mísero não treme…
Volta-se e diz extremo adeus ao mundo…
– Adeus, meu filho!… – foi de um salto às ondas…
Morreu! minha esperança o mar submerge;
Tudo… tudo acabou! – ah! nem me é dado
Chorar sobre o sepulcro de meu filho!
Do infeliz o cadáver insepulto

Já os peixes carnívoros devoram,
Enquanto colhes tu da vida as flores!
O escarnado esqueleto é praia ignota
Arroja o mar em ondas de desprezo,
Enquanto te sorris de glória aos sonhos!
Pois bem, mulher, triunfa, zomba e mata;
Mas treme, que não dorme a Providência
E é certa sempre a punição do crime.
Quando no sono tormentoso vires
Embalde a bracejar com feras vagas
Em ânsias de afogado te afogando
Um mancebo infeliz, treme, que é ele!
Quando em desoras e ao luar formoso
Frente a frente de ti por toda parte
Do bosque à beira, em solitário campo
Ou à porta do lar sinistra, imóvel,
Vires pálida sombra melancólica,
Será ele outra vez! – ou dia ou noite
A dormir ou velar constante sempre
Verás do Trovador a imagem triste
Teu crime a recordar, e a morte sua;
Foges?... em vão o fazes; rezas?... choras?
Já tarde vem as orações e o pranto;
Em vão... em vão... não acharás piedade;
Quando em lágrimas toda, as mãos cruzadas,
De joelho caída, a alma nos lábios
Ao céu, à sombra, a mim perdão pedires,
Dos remorsos na voz o céu falando,
Gemendo a sombra em sussurrar de brisas,
E num grito de morte e de vingança
A mãe baixando ao túmulo – em mútuo acordo
Hão de em resposta uníssonos bradar-te:
"Sê maldita!..."

A Peregrina

Maldita!... oh! não foi sonho,
Foi a voz do Senhor em sono ouvida!

XVII

Como numa alma em reflexão submersa
Dentre dúvidas mil surge a verdade,
Que a mente esclarecendo espanca os erros;
A lua, que encobriram densas nuvens,
De repente brilhou num céu mais limpo,
Toda terra envolvendo em luz suave;
Ao senti-la estremece a mãe, que a teme,
À janela se lança, e clama: "A lua!...
Lá vai... sempre a voar!"

XVIII

No entanto aflita
Recorre a Peregrina à Santa Virgem;
Ajoelha-se e reza; acaso embora
Ou milagre do céu que talvez fosse,
Então da lua um raio mais brilhante
Vem refletir na sacrossanta imagem;
Da mãe do Salvador resplende o rosto,
Onde respira o amor dos infelizes,
Um não sei quê de divinal influxo
De seus olhos lampeja; o quadro é mudo,
Mas parece falar nos seus fulgores.

XIX

Súbito ergueu-se em pranto a Peregrina.
Inspirada do céu o ardor a exalta,

Compreendeu o falar da Mãe do Eterno,
É toda amor e compaixão sua alma,
E à triste velha que ainda impreca à lua,
Exclama soluçando: "Deus o manda!…
Eia! corramos! salvarei teu filho."

XX

A noite já vai alta; o bosque mudo
Não ressoa ao cantar de aves canoras;
Erma estrada arenosa alveja à lua,
E as árvores frondosas que a ladeiam,
Como a espelhar-se em transparente lago
Retratam-se mercê de luz e sombras
Em crivos de mil raios sobre a areia.
Como ao luar se ostenta a natureza!…
Mais vale assim que ao sol resplandecendo:
Quanto se pode ver belo se mostra,
E o que se envolve em sombras, se adivinha
Talvez mais belo do que o fora aos olhos!
Tal a modesta pudibunda[5] virgem,
Que em dobro encanta quando um véu a eclipsa.

XXI

É tarde; é hora em que o silêncio reina,
Hora de sono e paz, em que na terra
O amor, o crime e a dor somente velam.

XXII

Mas quem são essas duas que tão tarde
E tão velozes agitadas correm?…

5. *Pudibunda*: recatada; casta; pudica.

Uma de vestes negras marcha à frente
De cansaço ofegando e de amargura;
De branco outra vestida soluçando
À veloz companheira segue perto;
Vão como loucas ambas pela estrada
Que leva ao mar; os olhos levantados
Fitos os têm na lua, que serena
Vai no céu resvalando indiferente
A quanto sofre o mundo que esclarece,
Como fera beleza foge esquiva,
Insensível a amor que inspira e olvida.

XXIII

Ai míseras! são elas; a extremosa
Mãe tribulada, que rebenta em ânsias
Ao só pensar na perdição da prole,
E essa da solidão donzela ingrata,
Que tantas esperanças extinguira,
E que somente arrependida agora
Vai – tão tarde! – a correr salvar o amante,
E talvez, infeliz, chegar tão tarde!
Ah! mal de ti, nem compaixão mereces;
Por teu rigor foi a desgraça urdida;
És causa deste mal, e o céu te pune;
Mas esse coração, que aí vai chorando,
Ah! essa alma de mãe!... Deus a sustente;
Não podem homens, não; morte de um filho
Consolação não acha em seio humano;
Dor, que devora a mãe que o filho perde,
Eterna punge e não se apaga nunca;
É talvez o infinito na agonia,
E só Deus o infinito compreende.

As lágrimas das mães recolhem anjos,
Ao céu pertencem; que as tornou sagradas
A Virgem, também mãe, aos pés vertendo-as
Do Deus homem no Gólgota[6] expirando.

XXIV

Ei-las vão; fazem dó!… quiçá prevendo
O esforço inútil da violenta marcha,
Já não sustêm o pranto que as inunda;
A moça vezes cem as mãos encruza,
Pedindo a Deus que de um remorso a livre;
A velha então, coitada, os olhos doidos
Volve do céu à terra de contínuo,
Do céu vendo o que resta à lua célere,
E da terra o que falta a seus pés tardos,
Que tardos são, embora corram leves,
Para levar a tempo a vida ao filho.
Às vezes de um cruel ressentimento
Cedendo ao vivo impulso, o olhar sinistro,
Vesgo olhar, onde luz vingança e fúria,
Vai arrojar à Peregrina, e ao vê-la
Como ela a correr, chorar como ela,
Em borbotões de lágrimas se afoga.
Às vezes na alma aflita assoma a ideia
De prostrar-se no chão e a Deus orando
Pedir que a mão potente a um leve aceno
Suspenda o curso ao bárbaro planeta,
Que ao filho há de apontar da morte o prazo;
Mas não para; rejeita o pensamento
Que uma demora impõe; reza correndo,

6. *Gólgota*: colina onde Jesus foi crucificado.

Entrecortando às orações soluços.
Oh! que horríveis, tremendas agonias
Aquela estrada erma esconde ao mundo!
São duas agonias – velha e moça,
Mãe e amada – desgraçadas ambas.

XXV

A dor redobra o lúgubre silêncio,
Que só gemidos quebram; correm mudas
As duas infelizes, como ovelhas,
Que se esqueceram do curral amigo,
E tarde fogem do pavor nas asas,
Escutando o bramir da onça faminta.
Uma frase sequer não trocam elas!
Uma palavra só da alma esperança
Não têm, não balbucia a Peregrina,
Tirando alentos da ilusão de instantes.
E que dirá a triste mãe?... não corre?...
Que mais fará?... não faz demais tão velha?...
Lá vai... sempre em silêncio; a longo espaço
Exclama apenas com bradar pungente:
"Meu Deus!... a lua!..." e a lua não a escuta,
E em seu nado sereno as nuvens rompe.

XXVI

Quanto da noite o astro mais avança,
Mais aumenta a aflição que despedaça
Aqueles corações; e já bem perto
Da montanha fatal que negrejava
Na extrema do horizonte a lua brilha.
Pouco falta a vencer da noite a lâmpada,
E muito de caminho às duas falta.

XXVII

Com olhar que desvaira o desespero,
E de terror desconcertado o rosto,
Inquire a velha o espaço limitado,
Que entre a lua e a montanha ainda medeia.
“Dois palmos só!” exclama angustiada,
Convulsos tendo os braços, que estendera.
Com a boca aberta devorando os ares
Pela estrada veloz se precipita
Como doida a fugir, e em tal carreira
Mal pode acompanhá-la a Peregrina,
Que, delicada e fraca, em vão deseja,
Asas de amor de mãe no pés não acha.

XXVIII

Lá vai! mísera velha! as negras vestes
Despedaçadas já em tiras voam;
Brancos cabelos pelo vento erguidos
Na rapidez da marcha se desfraldam;
Oh! quem a vira assim, turvo o semblante
Pela dor contraído, os olhos rubros
De chorar, e em tão grande desespero,
De assombro e de piedade se exaltara.
Que horror de vulto, e que beleza da alma!...
Fora uma fúria, se não fora um anjo.

XXIX

Ai! nada mais! metade já no túmulo
Sua extrema esperança está decidida;
Tocou a lua da montanha o cimo,
A terra pouco a pouco se anuvia...

Resta só baça luz... mais um momento...
Velha e moça sustêm-se, e horrível grito
Ambas a um tempo soltam: – Desgraçadas!
A esperança acabou! sumiu-se a lua.

Canto VI
Harpa Quebrada

I

Dos sábados a noite as fadas amam;
Vagam então mais livres e atrevidas
Dos malefícios a colher o fruto.
Nadando pelo ar, silfos agora,
Salamandras depois do céu no fogo
Em meteoros ígneos lampejando;
Ondinhas finalmente em claro lago
Na torrente ou no mar dançando à lua,
Dos sábados a noite as fadas amam.
E então, ai do mortal que as vê, que as sente,
Mesmo de longe em duvidosa forma;
Qual miasma, sutil o malefício
Corrompe o sangue, o coração perturba,
Antes que este palpite e mane aquele:
Ninguém lhe escapa; em toda parte existe;
Nos vestígios que deixa em fina areia
A fada que passou; na branca espuma,
Que uma onda que foge, e outra que avança
Ao se enlear borbulham, como a rir-se;
No ruído de uma aura da floresta,
Que simula a gemer perdida virgem;
No silvo de uma serpe, ou no mugido

Da catadupa[1], que desaba ao longe;
No mocho, que no trilho ermado, à noite
Piando agouros lúgubre vagueia;
Na luz que entorna a lua, no das flores
Hálito embalsamado, em tudo paira,
Respira, geme, ou ri, se esconde ou fala
Nas noites da cabala o malefício.
Repele ideias tais o sábio incrédulo;
Mas das crenças o rei, o povo as ouve,
Nos sortilégios crê, receia as fadas.

II

De um sábado era noite; na enseada
Uma barquinha só vagar não ousa;
O pescador mais bravo foi trancar-se
Na humilde choça ao lado dos filhinhos,
Que trêmulos de medo e boquiabertos
Da mui sabida avó, a quem rodeiam,
De magias escutam longa história.

III

Gigante de granito debruçado
Sobre o mar, que a rugir mesmo em bonança
Vem a seus pés quebrar-se, a Rocha Negra,
Turva, sinistra e nua ali campeia.
É o feio senão do ameno sítio,
Que luz aos raios de encantada lua;
É num céu de jasmins nuvem de chumbo;
E na alma de um cristão atro[2] remorso;

1. *Catadupa*: cachoeira.
2. *Atro*: triste; negro; medonho.

É o terrível maculando o belo;
É o esqueleto no banquete egípcio:
Gemido, que perturba o rir da festa;
Realidade, que evapora os sonhos;
Trono da morte na mansão da vida;
Fantasma da enseada – a Rocha Negra.

IV

Já se aproxima da agonia o prazo;
Não tarda a meia-noite, hora tremenda;
De horrível sacrifício altar medonho,
A *rocha* ergue-se ali, fria, impassível;
O mar, que será túmulo, tranquilo
Dorme, certo da presa, ressonando;
Cronômetro da morte, algoz funesto
Que o fúnebre momento apontar deve,
Vai plácida no céu brilhando a lua.
Altar, algoz e túmulo estão prontos;
Falta a vítima só: ei-la se mostra.

V

Do Trovador o vulto majestoso
Surge na praia, e sobe à Rocha Negra.
Nua traz a cabeça, e em dom às brisas
Dera os cabelos bastos e anelados;
Purpúrea capa em dobras cai do braço,
Como de um vencedor romano a toga;
Serena, altiva fronte ao céu levanta,
Nos olhos brilha a flama do delírio
E em ondas de fulgor se ateia o rosto;
O passo é gracioso, nobre e ousado,

Qual o do bravo, que a vitória aclama,
Subindo o carro triunfal da glória;
O braço, que enroscada envolve a capa,
Curvo deixa que a mão pouse na ilharga[3];
Abraça o outro a companheira e amiga
Harpa, sócia de amor, do vate[4] esposa,
Que em silêncio reclina-se mimosa
No ombro daquele que lhe entende as falas;
Assim garboso e radiante avança,
E ao cimo do rochedo chega e para.
Como um conquistador, que rei se coroa,
Por sobre a multidão que o vitoria[5],
Grave olhar de senhor despede ufano,
Ele, volvendo em derredor os olhos,
Com os lábios enfeitados de um sorriso
Desses que aos lábios dos heróis pertence,
Contempla o céu, depois o mar e a terra,
Até que altíssona voz desprende, e clama:

VI

"Vão teatro da vida, ao fim deixei-te!
Eis-me pisando o umbral da eternidade.
Mansão das ilusões, mundo! estou livre,
Águia do inferno, o cisne te assoberba.
Salve, morte piedosa! eterna amiga,
Que enxugas sempre do infeliz o pranto;
Vingança do oprimido, audaz recurso,
Anjo da glória, que coroa o gênio,

3. *Ilharga*: lado ou flanco do corpo sobre os quadris.
4. *Vate*: poeta com dom de profeta.
5. *Vitoriar*: saudar; aplaudir a vitória.

Inimiga do mundo, que arrebatas
Das garras desse tigre nobres vítimas;
Abismo em cujo fundo a paz habita,
Salve, doce mistério! salve, ó morte!
Caluniadora, vida em vão pintou-te
Hediondo esqueleto: – a vida mente! –
Tu és pálida virgem compassiva,
Que de uma vez a dor num sopro acabas;
Enviada do céu, soltas o espírito,
Que em cárcere de pó escravo geme;
Aos teus olhos de amor iguais são todos;
Em teu regaço que o sossego aninha,
É tão doce o dormir, que quem lá dorme
Não mais desperta para sofrer de novo;
Ave serena, que em silêncio voas,
Em tuas asas vão prender-se as almas
Que dos vales da dor ao céu remontas;
Por ti se regenera o pobre escravo
Condenado a arrastar injustos ferros;
Por ti vinga-se o herói da pátria ingrata,
Por ti zomba da sorte o desgraçado;
Por ti vence o pudor, salva-se a honra,
E em ti somente a liberdade existe.
Já dos anos ao peso, no teu seio
A fronte pousa e dorme eterno sono;
O fogo das paixões no moço apagas,
E abres-lhe, em troco de um porvir sombrio,
De paz segura infindos horizontes;
O infante, anjo ainda, ao céu que é dele,
De Deus a um rir de amor donosa[6] elevas.

6. *Donosa*: dadivosa; garbosa

Oh! maldito o primeiro dos humanos,
Que deu-te por semblante uma caveira!
Que assinala esse horror que à morte emprestam?
O transe da agonia?… – ainda é da vida.
Os gemidos que move?… – o túmulo é mudo.
O cadáver que resta?… é do pó do mundo.
Salve suave néctar soporífero
Que das flores do Éden[7] anjos destilam!
Rainha do silêncio, morte augusta,
De sigilo e de olvido arca sagrada,
Desencanto do pó, assomo da alma,
Porta solene que se fecha ao mundo
E se abre à eternidade, salve!… salve!…
Salve papoula dos jardins do Eterno!"

VII

"Humano coração, harpa da vida,
Em que são notas lágrimas e risos,
Com tuas glórias teus pesares mede,
Compara com teus hinos os teus carmes[8],
Consulta as vibrações das cordas tuas!
Quantas mil vezes tens chorado em troco
De um riso só, que te brincou na face?…
A vida é a charrua[9] trabalhosa,
Que o homem pela terra a custo arrasta;
A vida é nossa cruz, calvário o mundo.
Viver é ver do túmulo no abismo
Ir caindo um a um nossos amores.

7. *Éden*: o paraíso na tradição bíblica.
8. *Carmes*: poemas.
9. *Charrua*: arado.

Tu, mísero mortal, tu que estremeces
Ao só pensar na morte horrorizado,
Vive muito… envelhece… e ao fim tocando
Tarde o termo fatal, introvertido
O livro da alma lendo na memória,
Tristezas só terás – flores da vida!
É teu passado um vasto mar de lágrimas;
Do moribundo pai viste a agonia,
Da carinhosa mãe cerraste os olhos,
Viste à campa descer a esposa amada,
Rasgou-te o coração penar dos filhos,
O seu morrer, o dos irmãos e amigos,
E afogando no meio de esqueletos,
Coveiro infausto, herdeiro de agonias,
Convidam-te os pesares pro jazigo.
Oh! feliz de quem morre! ai de quem fica!…"

VIII

"Vasta rede de insânias e artifícios
Mil funestas paixões na terra estendem;
Contra o homem, o homem conspirando
A cada passo um precipício escava,
Prepara um crime, e um infortúnio tece;
Morde do benfeitor o seio a víbora
Da ingratidão; o crédito do justo
Vil calúnia atassalha[10]; a emagrecida
Inveja não tolera alheia dita;
A prepotência aos pés esmaga o pobre;
Áureo metal do chão desentranhado
Vence a virtude, que é celeste flama;

10. *Atassalhar*: retalhar; destroçar.

E a hipocrisia infame em toda parte
O riso da traição nos lábios tendo,
E no horrível semblante o véu do crime,
Ou da perfídia a máscara nefanda,
Abusando da fé, imola o crente;
E lutareis em vão, se a tanto ousardes;
Toda a luta é perdida, e queda é certa;
O mal triunfa; o mundo escravo é dele,
E a um só tempo são vítimas e algozes
Os homens pelo mal, que loucos forjam,
Num flagelo tornando a vida humana.
Contra inimigo tal só Deus e a morte;
Salve, portanto, ó morte compassiva!
Salve, ó morte, que a Deus nos aproxima!
Salve papoula dos jardins do Eterno!"

IX

Aqui parou; da terra e céu desvia
Olhar seguro que afundou nas ondas;
Sinistro longa hora o mar contempla
Sondando um túmulo nesse imenso abismo.
Paixão infrene[11] que turbou-lhe a mente,
Da loucura aos impulsos o abandona;
E ele, um cristão, em desespero acaba;
Ele, um bravo, desonra-se covarde;
Tão virtuoso, e ao crime se arremessa,
Na extrema perdição vendo um recurso!...
Oh! que fraqueza e que miséria humana!
Para eximir-se às tormentosas lidas
Da vida transitória, em desatino

11. *Infrene*: desenfreada; incontida.

O suicida se expõe a eternas penas,
E louco troca o mundo pelo inferno,
Os homens por Satã, e a Deus ultraja!...
Eis das paixões ao que nos leva o excesso.

X

Menos sombrio, mas agora aflito,
De novo o Trovador rompe o silêncio;
Um suspiro profundo ao peito arranca,
Estende um braço, enfim, com dedo firme
Aponta o mar que às plantas lhe rebenta,
E doloroso exclama:
"'Eis o meu túmulo!
Nele ninguém virá chorar saudades;
Nem minha mãe... ai triste!..."

XI

Inopinadas[12]
Sulcam-lhe as faces lágrimas sentidas,
E terno, soluçando, a voz lhe escapa:
"Anjo de puro amor, mãe desditosa,
Perdoa ao filho, involuntário ingrato,
Que te abandona arbusto ressequido
Em solo estéril sem cultor que o vele.
Ah! que remorso atroz me pesa na alma!
Arranco infindo acerbo pranto àquela
Que o próprio sangue me infiltrou nas veias;
Cubro de luto em anos de velhice
A quem da infância me vestira as faixas;

12. *Inopinadas*: surpreendentes; inesperadas.

Dou morte ao seio que me dera a vida;
Oh! minha mãe! oh! anjo de amor puro!
Tudo te roubo... até o meu cadáver,
Da extrema dor consolação extrema!
Meu Deus! de minha mãe compadecei-vos!
Negai-me o céu, meu Deus, mas dai-lhe amparo."

XII

Sufocado em soluços, cai-lhe a fronte
Nas mãos trementes; longo aflito geme,
Mas como pra furtar-se ao doce império
Do maternal amor arrebatado,
A longos passos pela rocha vaga,
Até que pouco a pouco alma invadindo
Diverso pensamento, o miserando
Com a capa envolve o corpo inteiro, e turvo
Segue, dizendo com medonho acento:

XIII

"Por minhas mãos em vida me amortalho!
Mais uma hora e de um salto hei de afundar-me
No báratro que aos pés aberto vejo.
Morro bem moço – no vigor dos anos –,
Como árvore frondosa ao chão lançada
Pelo choque violento da borrasca;
Tão moço ainda, e no sofrer tão velho!"

XIV

Gemeu então, as mãos torce raivoso,
E irônico prossegue e desabrido[13]:

13. *Desabrido*: áspero; rude; grosseiro; insolente.

XV

"Ufano jovem que saudaste a vida
Com cega confiança e ardor veemente,
Visionário que em sonhos deleitosos
Áureos futuros desenham na alma,
Vaidoso lidador que a fronte erguias
Em desafio ao mundo e a seus rigores,
Fervendo em ânsias de travar peleja,
Qual ginete de guerra alça a cabeça,
E a coma[14] encrespa intrépido, escutando
O clangor[15] da trombeta belicosa;
Poeta do passado, onde os teus sonhos?...
Onde a glória, os triunfos, as coroas?...
Como no mar soberbo a nau altiva,
Teu coração ousado se arroja
Às ondas inflamadas da esperança;
A esperança!... a ilusão da mocidade!
Foi ela o teu farol; ígnea mentira,
Sonho da vida inteira, que somente
Desfaz-se ao pé da morte... oh! a esperança!
Volúvel namorada enganadora,
Que com um sorriso agora nos encanta,
E logo foge esquiva e nos desvaira;
Que ao perto às vezes quase que a abraçamos,
E pronta nos escapa, e ao longe para[16],
Dadivosa brilhando para excitar-nos;
Oh! a esperança! a feiticeira virgem,

14. *Coma*: cabeleira.

15. *Clangor*: som alto e estridente.

16. *Para*: singular da terceira pessoa do verbo "parar" no presente do indicativo.

Que trajando se mostra lindas galas,
Com rosto de anjo e formas encantadas,
Sempre a vencer e a seduzir com as graças,
Jamais doando e prometendo sempre!
A esperança! ai de quem nela confia!
Anos espera, e um dia só não goza;
Quando os braços lhe estende ela se evade;
Um século zomba, se o homem vive um século;
E apenas quando a morte, a rival sua,
A vítima lhe rouba, ante o sepulcro
Se desencanta a virgem proditora[17]:
Ei-la! o rosto formoso era uma máscara,
Eram de fumo as roçagantes vestes;
Caiu a máscara, as vestes se evaporam,
E esse que a vida consumiu seguindo-a,
Toca-a por fim – quimera enregelada…
Esqueleto fatal! – eis a esperança!"

XVI

"Flor das flores da vida a mais dolosa[18],
Flor que veneno nos perfumes verte,
Flor que um espinho em cada pétala esconde,
A esperança falaz, eu fui plantá-la
Num frágil vaso furta-cor, e vário
Que à luz exposto, iriante, muda as cores
Sempre a cada volver, a cada instante.
Plantei no seio da traição a insânia,
Num peito de mulher minha esperança.
Oh! pois bem! colho os frutos da loucura;

17. *Proditora*: traidora; traiçoeira.
18. *Dolosa*: fraudulenta; criminosa.

Minha esperança agora está num crime;
E essa mulher que eu adorei, com a destra
(Que ainda hoje mesmo eu preferira a um cetro)
Abre-me a porta que conduz ao inferno."

XVII

E por novas ideias impelido
Sobe da rocha a ponta mais altiva,
Cai de joelhos, ergue em fogo os olhos,
Fixa-os no céu, as mãos eleva e clama:

XVIII

"Perdão, meu Deus! perdão! incauto eu era,
Mancebo ainda – o cego da fortuna;
Estava em anos de fé, e na minha alma
Via a mulher como um divino raio
Por ti vibrado para dar luz à terra;
Como orvalho do céu por ti mandado
Para suavizar-nos a aridez da vida;
Como o íris de plácida bonança,
Que às borrascas do mundo o termo aponta;
Acreditando ouvir e ver um anjo,
Caí nos laços que Satã forjara;
Perdão, meu Deus, perdão, se dei sacrílego
A essa mulher adoração divina!
Da beleza o aspecto deslumbrou-me,
Louco olvidei que as serpes são brilhantes,
E o brilhar de uma serpe seduziu-me;
Meu Deus, são testemunhas céu e terra,
A lua, o sol, o bosque, o lago, as flores,
De quanto ardor minha alma incendiava!

Perdão, meu Deus, perdão; mas dos teus anjos
Ser mais puro que o meu o amor não pode;
Amei como um poeta, amei um sonho,
Amei nessa mulher um impossível;
Sangue, futuro, glória, o amor sagrado
De minha mãe, do anjo que me destes,
Tudo, meu Deus, sacrifiquei à ingrata;
E em troco a tanto amor só tive escárnio,
Frio desprezo, indiferença horrível.
Oh! mereço o castigo que me espera,
Mereço a pena que flagela os ímpios;
Mas à ingrata, meu Deus! vingança eterna!"

XIX

Do Trovador transborda o desespero,
Ergue-se em fúria e delirante corre
A saltar pelas rochas exalando
A imensa dor em violentos brados.

XX

"Morrer! morrer! é um fardo enorme a vida!
Um suicídio... um crime horrendo... embora!
Vá cair sobre o algoz o peso dele.
Céu e terra, vingai-me! exemplo horrível
Dai-me ao mundo punindo a crueldade.
Céu de Deus! despejai todos os raios
Contra o monstro que amor insulta e nega!
Terra do homem! mergulha-te nas trevas,
Mirra teus frutos, murcha as flores tuas,
Teus rios seca; dira[19], estéril, negra,

19. *Dira*: desumana; cruel.

Ante seus passos sarças agermina[20].
Mundo! retorna ao caos; mas só para ela,
E ela que o saiba, e que debalde o chore;
Meu Deus! dai que essa ingrata seja eterna,
E fazei que num voo os anos volvam;
Envelheça a cruel, grisalhas fiquem
As negras tranças; que seu rosto enrugue,
Morram-lhe as graças, dobre o corpo esbelto
E feia, hirsuta[21], hedionda, abominável,
Constante viva aborrecendo a vida,
De todos desprezada e de si própria!
Mulher fatal, eu morro, e por legado
A dor de minha mãe na alma te deixo.
Ao som de maldições vaga na terra;
Adormece em terror temendo o sono.
Sonha com meu espectro, e despertando
A voz de minha mãe sinistra escuta,
Que em pragas mil, arroja-te ao demônio.
Eu morro, sim; mas não terão teus olhos
Os meus restos por pasto da vaidade;
Fera, que as feras arremedas todas!
Tigre! meu coração despedaçaste;
Tigre! fui teu na vida; morto, oh! nunca!
Abutre! não terás o meu cadáver.
Eu corro à morte… adeus, terra nefanda!
Fica orgulhosa dessa flor impura;
Adeus, ó mundo! ó minha mãe! perdoa!
Eu morro! eu morro! adeus!”

20. *Agerminar*: germinar; brotar.

21. *Hirsuta*: malcuidada; intratável ou insociável (em sentido figurado).

XXI

E em fúria indômita
A capa longe atira exasperado,
Corre lançar-se para morrer nas ondas;
Mas de improviso para; alonga os braços,
Banha-lhe a face o pranto da saudade;
E enternecido exclama:
"E tu, minha harpa?
Nem um adeus a ti, constante amiga?
Oh! não! não sou ingrato, vem! cantemos
O adeus da despedida, hino de morte."

XXII

Sobre o peito reclina a harpa querida,
Doce lhe afina as cordas, e mais doce
Dedilha arpejos que no espaço entorna,
E entoa um canto que do seio arranca,
Repassado de dor e de amargura.

XXIII

E ao frio sopro das noturnas brisas
Do sonoro instrumento as cordas gemem;
Uma rebenta já de ressentida;
Mas, embalde, o cantor a voz desprende.

XXIV

I

"Minha harpa, saudemos o instante da morte,
Que é lúcida aurora de eterna vitória;
O túmulo pros vates é trono de glória,

E a vida é o jugo do inferno e da sorte.
O jugo quebremos, ao trono subamos;
É belo o triunfo, minha harpa, morramos!"

E como pelo canto enternecida
Da harpa dedilhada uma das cordas
Rebentando soou como um gemido

II

"O vate é proscrito que vaga na terra,
Bem poucos lhe entendem o estranho falar,
Qual rocha batida das vagas do mar
Suporta dos homens tormentos e guerra;
Dos vates a pátria no céu achar vamos,
Deixemos o exílio, minha harpa, morramos!"

E nova corda estala; outro gemido
Que sai dos seios da harpa, e é dado às brisas.

III

"A morte é o sono que à dor sucedeu,
Do qual se desperta no Éden do Senhor;
É da alma um arroubo em ânsias de amor,
E o túmulo é a porta dos átrios do céu.
A morte é o sono, minha harpa, durmamos;
O céu nos espera, minha harpa, morramos!"

E outra corda rebenta, e sobre as ondas
Longo soa também outro gemido,
Que triste esvanecendo aos poucos morre.

IV

"Minha harpa não gemas, que o mundo é traidor,
Asila a perfídia no grêmio fatal,

Não vale as saudades de um peito leal,
Nem ternos suspiros de uma harpa de amor;
Não gemas, exulta, que ao céu subir vamos;
A vida é sinistra, minha harpa, morramos!"

Ainda uma corda estala, e geme ainda,
Como profunda queixa que exalada
Do lúgubre cantor responde ao hino.

V

"Esposa querida, minha harpa, vem cá!
A hora enfim soa do nosso himeneu;
A pira é a lua, que fulge no céu;
O tálamo[22] virgem nas ondas será;
A pira flameja! esposa, corramos!
Aos gozos! à glória! minha harpa, morramos!"

E a derradeira corda enfim rebenta!
Gemido extremo foi de moribunda,
Última flor que de um mirrado arbusto
Em murchidão precoce cai na terra.

XXV

Lágrima ardente escapa aos olhos áridos
Do Trovador, que enternecido abraça
E beija a sócia dos passados cantos;
E como se falará a um ser humano,
Assim lhe diz com voz apaixonada:

XXVI

"Não posso, oh não, abandonar-te aos homens,
Qual órfã triste que mendiga amparo;

22. *Tálamo*: leito nupcial.

Oh! não te deixarei tão só no mundo,
Para que te vibre quem te não mereça;
Talvez, quem sabe?... algum cantor profano,
Que adulador desonre a harpa orgulhosa,
E varra com a poesia os pés dos grandes,
A missão do inspirado rebaixando.
Harpa de vate e escudo de guerreiro
Um canto só, e um mote só proclamem.
Minha harpa, hás de seguir-me até na morte;
Teu destino é o meu; morramos juntos;
Os teus arpejos, que eu amei, não sejam
De mais ninguém no mundo; harpa querida!
Não te reclinarás sobre outro seio;
Sou teu esposo, acabarás comigo:
Esposa do Indostão[23], teu dono segue:
Muito te amei, oh muito! mas é força
Que morra a amada pelas mãos do amante."

XXVII

"Adeus, minha harpa! oh! doce companheira,
Eco fiel de meus sonoros hinos!
Amiga, que com risos respondias
Ao meu prazer e ao pranto com gemidos!...
Nunca mais te ouvirá um mundo ingrato,
Nunca mais perderás divinos cantos
Aos pés vertidos de uma fera humana.
Adeus, oh sim, adeus, fada mimosa,

23. *Esposa do Indostão*: em antiga tradição cultural do Indostão, as viúvas não sobreviviam aos maridos mortos e eram cremadas vivas com eles na mesma fogueira fúnebre. O Indostão compreende parte do território da Índia, do Paquistão, de Butão e do Nepal, além de Sri Lanka.

Que o doce orvalho de um consolo terno
Tanta vez espargiste[24] em teus arpejos
Sobre a minha alma consumida e triste!
Adeus, meu anjo de amorosas falas!
Adeus, meu gênio de almas[25] harmonias!
Adeus, oh! rosa, de quem fui favônio;
Minha irmã, minha esposa, amiga, filha,
Harpa, harpa de amor, adeus! acaba!
Morre por minhas mãos… adeus, minha harpa!…

XXVIII

Foi seu último adeus um grito da alma;
Um passo recuou, e em fortes braços
Sobre a cabeça erguendo a harpa inocente,
Três vezes contra a laje arremessou-a,
E três vezes bradou: "Adeus, minha harpa!…"

XXIX

Ei-la em pedaços sobre a rocha esparsa;
Emudeceu pra sempre o *amor que fala*;
E o Trovador, qual pai que ajunta os ossos
Do filhinho na terra do jazigo,
Um a um vai colhendo os pobres restos
Do instrumento querido, ao peito os une,
Aos lábios, que em mil beijos se despedem,
E ao coração, que palpitando arqueja.

24. *Espargir*: espalhar, disseminar, difundir.
25. *Almas* (adjetivo): nutrizes; agradáveis ou encantadoras (em sentido figurado).

XXX

Sucede enfim à dor o abatimento;
Das mãos inertes cai-lhe a *harpa quebrada*;
Como insensível fica; estanca o pranto;
Os soluços que a voz lhe entrecortavam
O coração absorve, e a fronte erguendo
Mísero Trovador, fugindo à terra,
Onde não mais lhe fulge uma esperança,
No céu esquece uns olhos já sem brilho,
E com mágoa indizível balbucia:

XXXI

"Vate sem harpa é alma sem ideia;
Harpa quebrada, coração sem vida,
Tudo pois consumei, agora à morte."

XXXII

Estático se deixa espaço longo,
Depois, como de um sono despertando,
Num profundo suspiro a dor exala,
Assenta-se na rocha, esconde o rosto
Entre as mãos, e abismado no silêncio,
Derradeiro cismar concede à vida.

XXXIII

Dentre os vastos cendais[26] do fino orvalho
Notívago batel no entanto surge,

26. *Cendais*: cortinas (no verso, é imagem que figura a neblina cerrada de onde surge a barca).

Que alveja à lua nas cerúleas[27] águas,
Como no campo verde o branco lírio.
Nas brandas asas de faceiro zéfiro
Vem plácido e sereno resvalando
E à Rocha Negra dirigindo o voo.

XXXIV

Alvacenta barquinha graciosa,
Amor das brisas, pérola das ondas,
Que entre os fulgores do luar te mostras
Ao longe duvidosa, e já tão bela!
Serás tu da esperança mensageira,
Que traga a um triste inesperado alento?...
É da ventura benfazejo sopro
A que a vela te enfuna[28] aura suave?...
Linda filha do mar, a quem vestiram
Com as brancas vestes, que a donzela estima,
Que quer dizer esse candor?... não sabes,
Que o vestido da noiva em cor iguala
A mortalha da virgem?... não te lembra
Que da donzela a coroa se desfolha
Num tálamo de amor, ou no sepulcro?...
É véu de noiva, ou virginal mortalha?...

XXXV

E tu, ó Trovador, tu, que, em delírio,
Do desespero escravo a morte evocas,
E nas garras do crime a vida afogas;

27. *Cerúleas*: azuladas como o céu ou o mar
28. *Enfunar*: inflar com o vento.

Tu, que ímpio ousaste contra a negra rocha
Em pedaços fazer a harpa do gênio;
Tu, que no mundo a mãe tão carinhosa
A sós deixaste em hórridas torturas;
Tu, que a pátria esqueceste, honra e virtude,
E o próprio Deus no suicídio ultrajas;
E tudo e tanto porque cego aos raios
De beleza cruel, em paixão louca,
Da ingratidão o fel tragaste horrível;
Trovador, Trovador, tu que experimentas
Quanto é fero esse amar sem ser amado,
Que dirias se inesperada visses
Aos olhos teus, qual tu, votada à morte
De teu rigor uma extremosa vítima?...
Trovador, Trovador, ergue a cabeça,
As lágrimas enxuga, o mar contempla,
E a barquinha que ao perto já se avisa,
Pergunta se também tens sido ingrato.

XXXVI

Desgraça imensa, como imensa dita
A alma absorve e o coração preenche;
Nada mais fora dela ocupa o homem.
Tem muito que chorar as próprias dores,
Não enxerga o infeliz mágoas alheias:
O Trovador, da ingratidão ferido,
Mede por seu amor a desventura,
Geme ultrajado por cruéis desprezos,
E todo em aflições sempre submerso,
Nem viu, nem vê, nem mesmo ao pé da morte
Adivinha, sequer, o afeto ardente,
Que abafado, no peito de uma mártir,
Funesto amor, lhe dilacera o seio.

XXXVII

Aos poucos se aproxima alva barquinha,
Já se apercebe o murmurar das ondas,
Que ela serena e doce vem cortando;
O Trovador no entanto, que engolfado
Em longo meditar olvida o mundo,
Nem ouve o murmurar, nem vê a barca.
Quando aos voos do espírito se abandona
O homem que sofre, o espírito doideja;
Zombaria ou piedade, acasos forja,
Glórias simula, e momentâneos gozos
Liba o triste, que cedo outra vez prova
Reais tormentos, que revivem sempre.

XXXVIIII

O Trovador medita, e sem que o pense,
Doces mentiras devorando exulta,
De seu pensar acerbo a alma triunfa;
Asas brilhantes pouco a pouco abrindo
A fantasia, das formosas penas
Ao suave mover a dor se abranda,
E vai no coração adormecendo.
Em liberdade o espírito remonta
Ao vago espaço, que povoam sonhos,
E o mísero embalado por quimeras
Não dorme, e sonha; encantadora vida
Vem-lhe sorrir festiva e dadivosa;
A Mãe, extremos toda, alegre o chama,
Acena-lhe que espere, corre e foge;
Depois trajando de noivado as vestes
Brancas, tão alvas como o branco lírio,
Ela… ela mesma, do passado a ingrata,

Carinhosa se mostra a Peregrina.
Que olhar o seu! que riso o de seus lábios!
Quanto amor nesse riso e nesses olhos!
Presa à doce visão a alma se deixa,
Esquece tudo, só da imagem cura[29],
Embevecida, como aos pés de um anjo,
Breves instantes rápidos voaram;
Mas de improviso o Trovador desperta,
Sente um ruído, ao lado os olhos volve,
E ao ver trajando de noivado as vestes
Brancas, tão alvas como o branco lírio,
Junto de si uma donzela... ergueu-se,
E suspirando exclama:

"És tu?..."

Não era;

E sentindo acordado a realidade,
Maldiz um sonho, que dobrou-lhe as mágoas,
Fingindo o gozo de aneladas glórias.

XXXIX

Estava a Doida, que aportar viera
Na formosa barquinha à Rocha Negra,
Como noiva vestida; em seus cabelos
Via-se a coroa que engrinalda a virgem,
E preso a eles vinha aos pés cair-lhe
Branco véu que a pureza simboliza.
Não lhe acende o rubor do pejo as faces,
Sempre de bela palidez; mas brilham
Com sinistro fulgor seus negros olhos,
E é mais viva também da fronte a nódoa.

29. *Curar*: cuidar; ocupar-se.

XL

Longo tempo em silêncio, e com ternura
Indizível, a Doida apaixonada
O Trovador contempla docemente;
Enfim a mão lhe aperta, e alegre fala.

XLI

A Doida

Vês bem que não faltei; é meia-noite.
Esperavas-me tu?...

O Trovador

Não; flor da terra,
Julguei-te presa ao mundo, que detesto.

A Doida

Deste mundo não sou; bem te o dizia;
Minha alma dele foge, e altiva, e nobre,
Vaga em mais alta esfera; dos encantos
Dona, me fez das fadas a rainha;
Já te o jurei; mostrei-te a negra mancha
Que me deixou da Nebulosa o beijo,
E não quisestes crer-me!... a razão tua,
Como o teu coração somente é cega.

O Trovador

Que intentas explicar?...

A Doida

Dir-te-ei lá embaixo,
No fundo mar que habitaremos juntos,

A menos que da vida à cruz pesada
Abraçado outra vez…

O Trovador

Não! quero a morte!
A mais louca esperança concedida
Só falta a hora…

A Doida

Unidos morremos.
Oh! ao menos para mim, doce consolo!
Será ditoso o transe derradeiro!

O Trovador

Que intento é esse?

A Doida

Inspiração de fadas.
Por cem bocas falou-me a Nebulosa,
Marcando o prazo de eternal vitória.
Escuta: quando a noite o manto opaco
Sobre a terra estendeu, vinha eu no bosque.
Sabes que fala o gênio da floresta
Do vento no gemer?… das catadupas
No bramido, e no silvo das serpentes?…
Pois eu ouvi-lhes, traduzi-lhes as falas,
E em coro me diziam: "Morre! morre!"
Entro na minha gruta, e resplendente
De estalactites na muralha escrita
Leio a sentença amiga: "*Morre! morre!*"
Saio, e os olhos erguendo ao céu formoso,

Lá vejo minha mãe num trono aéreo
De brancas nuvens; sua voz escuto,
Ela me chama e brada: "*Morre! morre!*"
Corro ao mar, sobre o dorso trazem ondas
Uma faixa de espuma cor de neve,
Onde com o dedo álgido[30] e invisível
Traçara a Nebulosa: "*Morre! morre!*"
Trovador, Trovador! não vês que eu rio?...
É do triunfo a hora que me soa;
Do bosque o gênio, a luz que acendem fadas,
Minha mãe lá do céu, do mar na espuma
A primaz Nebulosa, alçam meu hino,
Meu canto de vitória: "*Morre! morre!*"

XLII

Rosas inflama comoção sublime
Naquele rosto de jasmins eternos;
Fulgem-lhe os olhos, e o virgíneo seio
A custo abafa pudibundo, arcano;
Nunca tão linda se mostrara a Doida.
O Trovador atônito se chega;
Surpresa e compaixão enchem-lhe alma;
Entre as suas as mãos da Doida aperta;
E logo exclama:
"A tua destra é gelo!...
Tu padeces!..."

XLIII

Sorriu-se a miseranda;
Marmóreo dedo o coração aponta,

30. *Álgido*: gelado.

E diz tremendo:
"Aqui se encerra o fogo!"
Volta os olhos depois, indaga a lua:
Vai em breve sumir-se, e negras nuvens
Encrespam-se no céu:
"Ouve", ela torna;
"Da morte o prazo em breve tocar vamos,
E prestes vai rugir a tempestade;
Leio no céu o anúncio da borrasca;
Dos trovões ao bramir, e à luz dos raios
Iremos ter com a Nebulosa. É tempo;
Encha o encanto o que da vida resta;
Oh! faze-me chorar! eu amo as lágrimas,
Peço-te um canto; acorda o *amor que fala.*
Oh!... faze-me chorar!..."

XLIV

"Harpa!... oh! minha harpa!..."
Exclama o Trovador, e arreda um passo,
Mostrando os restos do instrumento amado.

XLV

Recua a Doida espavorida, e treme,
Depois avança; e curva, e de joelhos
Contempla a harpa quebrada.
"Ah! que fizestes?..."
Diz ela enfim se desfazendo em pranto;
"Que sacrílego impulso armou teu braço
Para matar o anjo dos amores?...
Não te obrigaste num piedoso voto
À morte em doces cantos deleitar-me?...

Oh! que és muito cruel!… muito! nem pensas,
Que extrema há sido a crueldade tua!…
Pobre *amor que falavas*, já não falas!…
Matou-te aquele por quem só vivias!…"

XLVI

Breves momentos refletiu a Doida;
Depois mais terna e mais sentida ainda,
E às vezes soluçando assim prossegue:
"Somos irmãos, *amor que já não falas!*
Igual destino nos fadara um gênio,
Que vida e morte deu-nos semelhante.
Tiveste por encanto a voz de um anjo,
E eu devo encantos à primaz das fadas;
Tu já morreste, eu morrerei bem cedo,
E a mão que ousou matar-te vai matar-me;
Num ponto só nos distinguira a sorte;
Tu foste amor de apreciados cantos,
E eu sou amor de lágrimas perdidas;
Ambas harpas de amor, eu só mais triste.
Oh! minha irmã… não ficarás na terra!
No fundo mar há um palácio de ouro,
Que habita a Nebulosa: ela te aceite…
Tu lá me espera… viveremos juntas,
E assentadas ao lar de imortais fadas
Do nosso fero algoz nos lembraremos.
Ó harpa! ó anjo de celestes hinos,
Que adormecem a dor nos seios da alma;
Intérprete fiel de afetos puros,
Levem-te à Nebulosa ondas amigas,
E as mesmas voltem pra também levar-me."

XLVII

Disse, e os fragmentos da harpa reunindo,
Em movimento rápido os arroja
Ao mar, que os leva amante à flor das ondas.

XLVIII

A Doida ouvindo, o Trovador pasmara;
Esclarece-lhe a mente luz brilhante;
Lembra o passado, rompe-se um mistério,
E os próprios males esquecendo, inquire,
Que dor é essa, que um gemer tão doce
Quase à força exalou a seus ouvidos.

XLIX

O Trovador

Que dissestes, infeliz?... ardente raio
Os meus olhos feriu... acaba, fala!
Devo eu também levar à eternidade
Além de atroz desgraça inda um remorso?...
Oh! que o peso é demais!...

A Doida

Morrer juraste;
A jura cumprirás!...

O Trovador

Já tarda a morte.

A Doida

Eu sou fada, e não temo; tu... quem sabe?...
Talvez inda a esperança...

O Trovador

Ah! não; mais nada;
Já disse extremo adeus ao mundo insano;
De agonia cruel traguei acerba
A hora que precede ao passamento;
Nada me resta agora, e se não falas
Depressa e já, não te ouvirei por certo.

A Doida

Morres?... eu também morro, oh! glória exímia!
Falar me é dado ao fim! abra-se o dique,
Transborde o coração: ouve; os encantos
Podem prestar sublime influxo às fadas,
Mudar-lhes as formas, requintar-lhes os gozos,
Sábias fazê-las predizer futuros,
Ao seu império sujeitar os seres,
Os homens, as paixões; mas ah! não podem
Nem mesmo encantos supernais, aqueles
Que a Nebulosa sublimada excita,
Do amor, paixão divina, libertá-las.
De Deus, que os mundos fez, e os mundos rege,
O amor é doce emanação excelsa[31],
Que do universo à criação dá vida;
E ante amor, que é de Deus, dobram-se as fadas;
Amam; e quando amor arde em seus peitos,
É fogo eterno, que as devora e mata.
Sina funesta! amor que tudo alenta,
Às fadas sempre traz desgraça e morte!
Oh! Trovador! não me entendeste ainda?...
Sou fada, e vou morrer... por quê?... não sabes?...

31. *Excelsa*: sublime.

Cego, nunca me viste! agora ao menos
Abre os olhos, contempla a moribunda!
Trovador! eu te amei nos belos anos
Da infância, e não sabia então que amava;
Foi, das flores na idade amor tão puro,
Róseo botão no seio desabrochando.
Moça te amei, e em sonhos deleitosos
Aditava à minha alma tua imagem;
Escravo de outro amor, tu me feriste
Com a indiferença enregelada e fera;
E eu te amei ainda mais! segui teus passos
A toda parte; inebriei-me ouvindo
Teus doces cantos; fiz-me a confidente
Do terno afeto, que era o meu suplício;
Com minhas mãos nos braços te lançara
Da Peregrina, se eu pudesse tanto;
E mais não te pedira que um sorriso
De gratidão, sequer pra mim tão triste!...
Amei, chorei, votei-me a um sacrifício;
E tu, oh! Trovador, não viste nada!!!
Ah! se te amei! e como te amo ainda!...
Trovador! Trovador!... amo-te sempre,
Como a aura ama a flor, aves a aurora,
O heliotrópio[32] o sol, e ao céu os anjos!
Tua voz tem um eco no meu seio.
Dos teus olhos no fogo os meus se abrasam:
Amei-te, oh! muito! como ninguém ama!
Dei-te a minha alma, dera-te o meu corpo,
Assim me expondo a desencanto horrível!
A Nebulosa e minha mãe o sabem;
Uma no fundo mar ouve-me as vozes,

32. *Heliotrópio*: girassol.

Outra de sobre as nuvens lá me escuta.
Amei-te muito! amo-te ainda, oh! muito!

L

E a mísera entre as mãos, que o pranto ensopa,
Esconde o rosto que o pudor devora.

LI

De joelhos, chorando enternecido,
O Trovador a soluçar murmura:
"Santa consolação, não me aproveitas!...
Brando orvalho do céu cai num deserto
Estéril, seco, que não mais vegeta;
Terno grito de amor tardo se escuta
No meio do oceano, e não tem eco.
Mirrado coração, quanto hás perdido!
E essa ingrata, que amei, quanto me rouba!..."

LII

Suspira, e breve instante se interrompe;
Depois mais doce ainda fala à Doida:
"Celeste pomba dos amores puros!
Vive, e desabre teus serenos voos
Na terra, em que te deixo; esquece o cego,
Que te não viu no mundo tão formosa!
Vive, e me olvida; e se um sinistro voto
Pode vibrar a alma da inocência,
Maldize o monstro, que fatal perdeu-me
De fogo a serpe, que tornou em cinza
O coração, que um trono te devia.

Celeste pomba dos amores puros,
Vive e me esquece, que te não mereço!..."

LIII

Da Doida os olhos flamejaram raios;
O céu, a lua, o mar convulsa observa;
Tremem seus lábios num febril sorriso,
Troar ouvindo súbita borrasca;
Nas faces rubras chamas lhe rebentam,
Que a paixão lhe usurpou do sacro pejo;
E com fervente voz exclama ousada:

LIV

"Não vais morrer?... pois morrerei contigo.
Sê meu na morte! um encantado tálamo
Nas ondas nos espera; vê! sou bela!
Tenho o fogo do sol nos olhos negros!
Vê! sou bela! meu rosto é cor da neve,
Meus lábios cor-de-rosa, e o seio é puro!
Esperam-te mil beijos nestes lábios,
Amplexo deleitoso entre meus braços!
Sou bela, e serei tua sobre as ondas!
A coroa de noiva orna-me a fronte;
E trago para as núpcias graciosa
Véu de donzela, e vestes de noivado.
Vem, sou bela! sou virgem! serei tua!
Espera-nos o mar! esposo! corre!
Vem! a lua escondeu-se atrás do monte,
Ribomba a tempestade; vem! sou bela!
Dar-te-ei encantos, divinais deleites,
Ainda mais puros que os botões das flores!

Vem! sou bela! sou virgem! serei tua!
Não receies a morte; o gozo é certo;
A Nebulosa nos prepara um leito
De rosas e jasmins entretecido
No fundo mar, no seu palácio de ouro;
Esposo, corre! o tálamo nos chama!
Ao triunfo! ao amor! à dita! à glória!"

LV

Era um anjo a fulgir a Doida em fogo.

LVI

O Trovador atira-se nos braços,
Que lhe estendia a amante desvairada;
Ambos se apertam, misturando alentos,
Unem os lábios, e trocando um beijo,
Um desses beijos que uma vida pagam,
Sem que morra o pudor, delícias libam,
Mas um momento só; que delirantes
Enlaçadas as mãos, ambos correndo
À extrema fatal sobem da rocha,
E às ondas furiosas vão lançar-se.

LVII

E o céu rebrame, e ruge o mar terrível,
Fuzila o raio, que incendeia os ares;
Troa o trovão, desaba a tempestade;
Abalada estremece a natureza,
Envolve a Rocha Negra horrenda nuvem;
Tudo é trevas... horror... borrasca, e morte.

꧁ Epílogo ꧂

I

Coro jucundo[1] de sonoras aves,
Incensos dos turíbulos das flores,
Terra viçosa despertando em risos
A luz saúdam, que dá vida ao mundo.
Purpureiam no céu rosas da aurora;
Mansa suspira a brisa, e o mar sereno
As praias beija murmurante apenas,
Cadenciando festivais cantigas
Do pescador, que ao perto sulca as ondas.

II

Sucede à tempestade alma bonança,
E o céu que luz, e a terra que desperta
Entre perfumes úmida de orvalho,
E a praia alvejante e o mar sereno
Em doce paz o horror da noite esquecem.

III

Ninguém mais da borrasca se recorda;
Mas, oh não! que dali rompem correndo
Humanos vultos dois: – angustiados

1. *Jucundo*: alegre; aprazível.

Acham asas na dor, e aflitos voam.
Duas mulheres são, e espavoridas
A Rocha Negra em desespero buscam.

IV

Uma, que avante marcha, esparsos leva
Cabelos cor de neve, e ensanguentados
Os pés descalços, rotos os vestidos;
Seus magros braços estendidos tremem,
Em fogo os olhos tem, e aberta a boca
Respira com estertor[2] afadigada.

V

Essa não chora, mas às vezes brame.

VI

Segue-lhe a outra, moça e tão formosa,
Que a despeito da mágoa e desalinho
Deslumbra o astro que no céu esplende.

VII

Essa não brame nunca, e sempre chora.

VIII

Da Rocha Negra toca enfim a extrema
A velha exasperada; afunda os olhos
Do mar no seio imenso, e convulsiva
As mãos alçando ao céu brada: “Meu filho!”

2. *Estertor*: agonia.

IX

Um grito lhe responde; volta e corre
A Peregrina, que na praia ulula;
Mas não chega; de súbito sustém-se;
Vê de longe em pedaços sobre a areia
A terna harpa de amor, que ainda quebrada
Aos pés da ingrata as ondas arrojaram.

X

Da velha o rosto decompõe-se horrível;
Rubros olhos revolvem-se nas órbitas;
Eriçam-se os cabelos alvejantes;
Seu vulto se agiganta; um braço eleva,
E com sinistra voz, rouca, e medonha,
Exclama em fúria: "Ingrata! sê maldita!..."

XI

Qual ferida de um raio, a Peregrina
Cai com os lábios de encontro à *harpa quebrada.*

XII

E a velha, pobre mãe, da dor no excesso,
Sobre a rocha fatal tomba sem vida,
E aberto um golpe na rugosa fronte,
Banha o sangue materno o altar da morte.

Fim

Referências Bibliográficas

Edições de A Nebulosa

MACEDO, Joaquim Manuel de. *A Nebulosa*. 1ª ed. Rio de Janeiro, J. Villeneuve & Cia., 1857.

______. *A Nebulosa*. 2ª ed. Rio de Janeiro, H. Garnier Livreiro Editor, s.d. [pós 1878].

Obras Consultadas

ALFIERI, Vittorio. *Opere*. Milano, Rizzoli, 1940.

AA.VV. *Théorie d'ensemble*. Col. "Tel Quel". Paris, Éditions du Seuil, 1968.

AMORA, Antonio Soares. *A Literatura Brasileira: o Romantismo*. São Paulo, Cultrix, 1977.

______. *Classicismo e Romantismo no Brasil*. São Paulo, CEC, 1966.

ANGENOT, Marc. "L'intertextualité': Enquête sur l'émergence et la diffusion d'um champ notionnel". *Revue des Sciences Humaines*. 189:1, 1983.

AUERBACH, Erich. *Mimesis: A Representação da Realidade na Literatura Ocidental*. São Paulo, Perspectiva, 1987.

BAKTHIN, M. *Marxismo e Filosofia da Linguagem*. Trad. Michel Lahud e Yara Vieira. São Paulo, Hucitec, 1981.

______. *Problemas da Poética de Dostoievski*. Trad. Paulo Bezerra. Rio de Janeiro, Forense Universitária, 1973.

Barbosa, Oneida Célia de Carvalho. *Byron no Brasil*. São Paulo, Ática, 1975.

Bauer, Gérard. *Les Metamorphoses du Romantisme*. Paris, Artisan du Livre, 1928.

Bèdier, Joseph. *O Romance de Tristão e Isolda*. São Paulo, Martins Fontes, 1994.

Beguin, Albert. *El Alma Romântica y el Sueno: Sobre el Romantismo Aleman y la Poesia Francesa*. México, Fondo de Cultura Económica, 1992.

Benichou, Paul. *Les Mages Romantiques*. Paris, Gallimard, 1988.

Bilac, Olavo e Passos, Guimarães. *Tratado de Versificação*. 9ª ed. Rio de Janeiro, Francisco Alves, 1949.

Bilous, Daniel. "Intertexte/Pastiche: L'Intermimotexte". *Texte*. 2, 1983.

Binni, W. "Melchiorre Cesarotti e il Preromanticismo Italiano". *Civiltà Moderna* nº 6, 1941 e nº 1, 1942.

______. "Leopardi e la Poesia del Secondo Settecento". *Leopardi e il Settecento*. Atti del I Convegno internazionale di studi leopardiani. Firenze, Olschki, 1964, pp. 77-132.

Blair, H. "Preface". *Fragments of Ancient Poetry*. Edinburgh, G. Hamilton & H. Balfour, 1760, pp. III-VIII.

______. "A Critical Dissertation on the Poem of Ossian". *The Works of Ossian*. London, T. Becket, 1765, pp. 313-443.

Broca, Brito. *Românticos, Pré-Românticos e Ultrarromânticos: Vida Literária e Romantismo Brasileiro*. São Paulo/Brasília, Polis/INL, 1979.

Buescu, Maria Gabriela Carvalhão. *Macpherson e o Ossian em Portugal: Estudo Comparativo-Translatológico*. Tese de doutoramento, Anglo-Portugueses, Universidade Nova de Lisboa, 1999.

Byron, George Gordon. *Obras*. São Paulo, Cultura, 1942.

Calcaterra, Carlo (org.). *Manifesti Romantici e Altri Scritti Della Polemica Clássico/Romântica*. Torino, UTET, 1979.

Candido, Antonio. *Formação da Literatura Brasileira*. 1ª ed., São Paulo, Martins, 1959.

______ e Castelo, José Aderaldo. *Presença da Literatura Brasileira.* São Paulo, Difusão Europeia do Livro, 1974.

Carpeaux, Otto Maria. *Pequena Bibliografia Crítica da Literatura Brasileira.* Rio de Janeiro, MEC [s.d.].

Carvalho, Ronald de. *Pequena História da Literatura Brasileira.* Rio de Janeiro, F. Briguiet & Comp. Editores, 1922.

Castello, José Aderaldo. *Textos que Interessam à História do Romantismo.* Vol. II, São Paulo, Conselho Estadual de Cultura, 1963.

______. *Antologia do Ensaio Literário Paulista.* São Paulo, Conselho Estadual de Cultura, 1960.

Castilho, Antônio Feliciano de. *Poesias.* Lisboa, Livraria Clássica, 1943.

______. *Amor e Melancolia.* Lisboa, Typ. da Sociedade Typográphica Franco-Portuguesa, 1861.

______. *O Outono.* Lisboa, Livraria Moderna, 1905.

______. *Tratado de Metrificação Portugueza.* Lisboa, Livraria Moderna, 1908.

Carvalho, Ronald de. *Pequena História da Literatura Brasileira.* 2ª ed. Rio de Janeiro, F. Briguiet & Comp. Editores, 1922.

Cesar, Guilhermino. *Historiadores e Críticos do Romantismo: A Contribuição Estrangeira.* Rio de Janeiro/São Paulo, Livros Técnicos e Científicos/Edusp, 1978.

Cesarotti, Melchiorre. *Poesie di Ossian Figlio di Fingal, Antico Poeta Céltico Ultimamente Scoperte e Tradotte in Prosa Inglese da Jacopo Macpherson, e da Quela Trasportate in Verso Italiano Dall'ab.* Vol. 2, Padova, Comino, 1763.

Cian, V. "Per la Storia del Sentimento e della Poesia Sepolcrale in Italia e in Francia". *Giornale storico della letteratura ital.* XX, Bolonha, 1892, pp. 205-35.

Citeli, Adilson. *Romantismo.* São Paulo, Ática, 1986.

Clara, Salete de Almeida. *A Poesia Lírica.* São Paulo, Ática, 1989.

Clay, Jean. *Le Romantisme.* Paris, Hachette Réalités, 1980.

Clayton, Jay e Rothstein, Eric. *Influence and Intertextualiaty in Literary History*. 1991.

Coli, Jorge. "O Falso". *O Que É Arte*. São Paulo, Brasiliense, 1984, pp. 80-82.

Coleridge, S. T. "The Rime of the Ancient Mariner". *Poetry of the Romantics*. London, Penguin Books, 1996.

Compagnon, Antoine. *O Trabalho da Citação*. Trad. Cleonice Mourão. Belo Horizonte, UFMG, 1996.

Coutinho, Afrânio (dir.). *A Literatura no Brasil: Era Romântica*. Vol. III. Rio de Janeiro/Niterói, José Olympio/EDUFF, 1986.

_______ (org.). *Caminhos do Pensamento Crítico*. Vol. I. Rio de Janeiro, Pallas, 1980.

Culler, Jonathan. "Presupposition and Intertextuality". *Modern Language Notes* nº 91, 6, 1976.

Cunha, Fausto. *O Romantismo no Brasil: de Castro Alves a Sousândrade*. Rio de Janeiro, Paz e Terra/INL, 1971.

Cranston, Maurice William. *The Romantic Moviment*. Oxford, Cambridge University, 1989.

Dällenbach, Lucien. "Intertexte et Autotexte". *Poétique*. 27, 1976.

De Quincey, T. "Essay on Wordsworth's Poetry". *Wordsworth: Poetry & Prose*. Oxford, Clarendon Press, 1960.

Dias, J. Simões. *Teoria da Composição Literária*. 9ª ed. Lisboa, Livraria e Editora Tavares Cardoso e Irmão, 1901.

Duque-Estrada, Osório. *A Arte de Fazer Versos*. Rio de Janeiro, Typ. do Jornal do Commercio, 1912.

Farinelli, A. *Il Romanticismo nel Mondo Latino*. Turim, Bocca, 1927.

França, José-Augusto. *O Romantismo em Portugal*. 2ª ed. Lisboa, Livros Horizonte, 1993.

Garrett, Almeida. *Camões*. Porto, Lelo & Irmão, [s.d.].

Gay, Peter. *A Experiência Burguesa, da Rainha Vitória a Freud: A Paixão Terna*. Vol. II. Trad. Sérgio Flaksman. São Paulo, Companhia das Letras, 1998.

GENETTE, Gérard. *Palimpsestes: La Littérature au Second Degré*. Paris, Group Um Ed., 1982.

GILARDINO, Sérgio Maria. *La Scuela Romântica: La Tradizione Ossianica nella Poesia dell' Alfieri, Del Foscolo e Del Leopardi*. Ravena, A. Longo Editore, 1982.

GIRAND, René. *Mensonge Romantique e Verité Romanesque*. Paris, Grasset, 1992.

GOETHE. *Os Sofrimentos de Werther*. Rio de Janeiro, Ediouro, 1991.

GOMES, Álvaro Cardoso. *A Estética Romântica: Textos Doutrinários Comentados*. São Paulo, Atlas, 1992.

GUERNE, Armel. *L' Âme Insurgée: Écrits sur le Romantisme*. Paris, Phebus, 1977.

GRIECO, Agripino. *Evolução da Poesia Brasileira*. Rio de Janeiro, José Olympio, 1947.

GUINSBURG, J. *O Romantismo*. São Paulo, Perspectiva, 1995.

HAZARD, Paul. "As Origens do Romantismo no Brasil". *Suplemento Literário de* O Estado de S. Paulo. 19 de julho de 1958.

______. "Discussione sui criteri e modi della traduzione di Ossian". *Revue de littérature comparée*. I, 1921.

HEGEL, G. W. F. "A Poesia". *Curso de Estética: O Sistema das Artes*. Trad. Álvaro Ribeiro. São Paulo, Martins Fontes, 1997.

HUGO, Victor. *Do Grotesco e do Sublime: Introdução ao "Prefácio de Cromwell"*. São Paulo, Perspectiva, 1988.

JENNY, Laurent. *Intertextualidades*. Coimbra, Almedina, 1979.

JOBIM, José Luís. *Introdução ao Romantismo*. Rio de Janeiro, Eduerj, 1999.

_______ (org.). "Machado e Ossian". *A Biblioteca de Machado de Assis*. Rio de Janeiro, ABL/Top Books, 2000.

KANT, Immanuel. *Observações Sobre o Sentimento do Belo e do Sublime*. Trad. Vinícius de Figueiredo. Campinas, Papirus, 1993.

KAYSER, Eugene de. *L' Ocidente Romantico: 1789-1850*. Geneve, Skira, 1965.

KAYSER, Wolfgang. *Análise e Interpretação da Obra Literária*. Coimbra, Armênio Amado Editor, 1968.

______. *O Grotesco: Configuração na Pintura e na Literatura*. São Paulo, Perspectiva, 1986.

KEATS, John. *The Complete Poems of J. Keats and Percy B. Shelley*. New York, Modern Library, [s.d.].

______. *The Complete Poems*. Harmonds Worth, Penguin, 1988.

KELLY, Celso. *Século XIX: O Romantismo; Ciclo de Conferências*. Rio de Janeiro, MNBA, 1979.

KRISTEVA, Julia. *Introdução à Semanálise*. Trad. Lúcia Helena França Ferraz. São Paulo, Perspectiva, 1974.

______. *La Révolution du langage poétique*. Paris, Seuil, 1974.

LAMARTINE, Alphonse de. *Oeuvres Completes*. Paris, Charles Cosselin, 1836.

LEGROS, Robert. *Le Jeune Hegel et la Naissance de la Pensée Romantique*. Bruxelas, OUSIA, 1980.

LENCASTRE, Leonor de Almeida Lorena e (trad. do alemão). "Oberon, de Wieland". *Obras Poéticas*. Tomo III. Lisboa, Imprensa Nacional, 1844, pp. 39-200.

LEPECKI, Maria Lúcia (org.). "O Conceito de Poesia na 2ª Metade do Século XIX à Luz dos Prefácios de Então – Persistência do Romantismo". *Para Uma História das Ideias Literárias em Portugal*. Lisboa, INIC/CLEPUL, 1980.

LEVY-BERTHERAT, Ann-Deborah. *L' Artifice Romantique: de Byron a Baudelaire*. Paris, Klinckiek, 1994.

LOBO, Luíza. *Teorias Poéticas do Romantismo*. Porto Alegre, Mercado Aberto, 1987.

LOCKRIDGE, Laurence. *The Etics of Romanticism*. Cambridge, Cambridge University, 1989.

LOURENÇO, Eduardo. "Romantismo e Tempo e o Tempo do Nosso Romantismo". *Estética do Romantismo em Portugal*. Lisboa, Grêmio Literário, 1970.

Lucchesi, Marco (org.). *Giacomo Leopardi: Poesia e Prosa*. Rio de Janeiro, Aguilar, 1996.

Machado, Álvaro Manuel. *Les Romantismes au Portugal – Modèles Étrangers et Orientations Nationales*. Paris, Fondation Calouste Gulbenkian, 1986.

Machado, Ubiratan. *A Vida Literária no Brasil durante o Romantismo*. Rio de Janeiro, uerj, 2001.

Macherey, Pierre. *A Quoi Pense la Littérature? Exercices de Philosophie Littéraire*. Paris, Presses Universitaires de France, 1990.

Macpherson, James. *Ossian: Poèmes Dramatiques*. Paris, Stock Plus, 1981.

______. *Ossian: Saga des Hautes Terres*. Paris, Editions Libres-Hallier, 1980.

Magalhães , Couto de. *Textos que Interessam à História do Romantismo.* Tomo II. São Paulo, Conselho Estadual de Cultura, 1963.

Man, Paul de. "Structure Intentionelle de L'Image Romantique". *Revue Internationale de Philosophie*. Vol. 14, 1960.

Martino, Pierre. *L'Époque Romantique em France*: 1815-1830. Paris, Hatier, 1944.

Martins, Wilson. *História da Inteligência Brasileira*. Vol. III. São Paulo, Cultrix/Edusp, 1977.

Merquior, José Guilherme. *De Anchieta a Euclides: Breve História da Literatura Brasileira*. Rio de Janeiro, Topbooks, 1996.

Missio, Edmir. *De l' Allemagne de Mme. de Stael: Apresentação de Textos Escolhidos*. Dissertação de mestrado. Departamento de Teoria Literária do Instituto de Estudos da Linguagem, Campinas, Editora da Unicamp, 1997.

Motta, Arthur. *História da Literatura Brasileira, Romantismo*. Tomo III. São Paulo, Companhia Editora Nacional, 1930.

______. *História da Literatura Brasileira: Romantismo*. São Paulo, Cultrix, 1985.

Motte-Fouqué, Friedrich De La. *Ondina*. Tradução de Karin Volobuef. São Paulo, Landy, 2006.

Muoni, G. *Poesia Notturna Preromantica*. Milano, Societá Editrice Libraria, 1908.

______. *Il Sentimentalismo nella Letteratura Italiana*. Milano, Società Editrice Libraria, 1911.

Neto, Coelho. *Compêndio de Literatura Brasileira*. Rio de Janeiro, Francisco Alves, 1929.

Novalis. *Henri d'Ofterdingen*. Paris, Flammarion, 1992.

Nutt, A. "Ossian and the Ossianic Literature". *Popular Studies in Mythology, Romance and Folklore* nº 3. Londres, D. Nutt, 1899.

Paes, José Paulo. "O Falsário Verdadeiro". *Transleituras*. São Paulo, Ática, 1995.

Paranhos, Haroldo. *História do Romantismo no Brasil*. São Paulo, Cultura Brasileira, 1937.

Paulino, Maria das Graças Rodrigues *et alii*. *Intertextualidades: Teoria e Prática*. Belo Horizonte, Lê, 1997.

Pereira, Astrojildo. *Interpretações*. Rio de Janeiro, ceb, 1944.

Picchio, Luciana Stegagno. *História da Literatura Brasileira*. Rio de Janeiro, Nova Aguillar, 1997.

Pinheiro, Cônego Fernandes. *Curso de Literatura Nacional*. Rio de Janeiro/Brasília, Cátedra/inl/mec, 1978.

Praz, Mario. *A Carne, A Morte e o Diabo na Literatura Romântica*. Trad. Philadelfo Menezes. Campinas, Editora da Unicamp, 1996.

Ramos, Péricles Eugênio da Silva. *O Verso Romântico e Outros Ensaios*. São Paulo, cee, 1959.

______. *Do Barroco ao Modernismo: Estudos de Poesia Brasileira*. São Paulo, cec, 1968.

Read, Herbert. "Beleza e Feiura". *As Origens da Forma na Arte*. Trad. Waltensir Dutra. Rio de Janeiro, Zahar, 1981.

______. *The Romantic Agony*. Oxford, Oxford University, 1970.

Rebello, Luiz Francisco. *O Teatro Romântico (1836-1869)*. Lisboa, icalp, 1980.

Ribeiro, José Antônio Pereira. *O Universo Romântico de Joaquim Manoel de Macedo*. São Paulo, Roswitha Kempf Editores, 1987.

RIBON, Michel. "A Natureza Romântica". *A Arte e a Natureza*. Campinas, Papirus, 1991.
RIFFATERRE, Michael. *La Producion du Texte*. Paris, Seuil, 1979.
______. "La Trace de l'Intertexte". *La Pensée*. 215, 1980.
RIZZO, T. L. *La Poesia Sepolcrale in Itália*. Napoli, Soc. Anon. Editr. F. Perrella, 1927.
RODRIGUES, A. A. Gonçalves. *A Tradução em Portugal: Tentativa de Resenha Cronológica das Traduções em Língua Portuguesa Excluindo o Brasil de 1495 a 1950*. Lisboa, Imprensa Nacional-Casa da Moeda, 1992, vol. 1 (1495-1834); Instituto de Cultura e Língua Portuguesa, vol. 2 (1835-1850); Instituto Superior de Línguas e Administração, 1993, vol. 3 (1851-1870); 1994, vol. 4 (1871-1900), 1999, vol. 5 (1901-1930).
ROMERO, Sílvio. *História da Literatura Brasileira*. Rio de Janeiro, José Olympio, 1953.
______. *Compêndio da História da Literatura Brasileira*. Rio de Janeiro, Imago, 2001.
______. *Autores Brasileiros*. Rio de Janeiro, Imago, 2002.
______. *Literatura, História e Crítica*. Rio de Janeiro, Imago, 2002.
RONCARI, Luiz. *Literatura Brasileira: Dos Primeiros Cronistas aos Últimos Românticos*. São Paulo, Edusp, 1996.
ROSENFELD, Anatol. *Autores Pré-Românticos Alemães*. São Paulo, EPU, 1991.
ROUANET, Maria Helena. *Eternamente em Berço Esplêndido*. São Paulo, Siciliano, 1991.
SALLES, David. *Do Ideal às Ilusões: Alguns Temas da Evolução do Romantismo Brasileiro*. Salvador, Fundação Cultural da Bahia, 1980.
SAINT-BEUVE, Charles Augustin. *Volupté*. Paris, Larousse, 1951.
SARAIVA, Antônio José e LOPES, Óscar. *História da Literatura Portuguesa*. 11ª ed. Porto, Porto, 1979.
SAVOCA, G. "La Crisi del Classicismo dall' Arcadia Lúgubre e Sentimentale alla Retórica ossianesca e sepolcrale". *La Letteratura Italiana, Storia e Testi*. Vol. VI, t. II. Bari, Laterza, 1974, pp. 266-272.

SCHILLER, Friedrich. *Teoria da Tragédia*. Notas de Anatol Rosenfeld. São Paulo, Editora Herder, 1964.

SCHNEIDER, Michel. *Ladrões de Palavras. Ensaio sobre o Plágio, a Psicanálise e o Pensamento*. Trad. Luiz Fernando P. N. Franco. Campinas, Editora da Unicamp, 1990.

SCHWARZ, Lilia Moritz. *As Barbas do Imperador*. São Paulo, Companhia das Letras, 1998.

SCOTT, Walter. *The Poetical Works of Sir Walter Scott*. Londres, Glasgow, Collins' Clear [s.d.].

______. *Waverly*. Londres, Penguin, 1994.

SERRA, Tania Rebelo Costa. *Joaquim Manuel de Macedo ou os Dois Macedos: A Luneta Mágica do II Reinado*. Rio de Janeiro, FBN/DNL, 1994.

SHELLEY, Percy B. *Defesa da Poesia*. Tradução de J. Monteiro Grillo. Lisboa, Guimarães, 1986.

SILVA, Joaquim Norberto de Sousa e. *Modulações Poéticas: Precedidas de um Bosquejo da História da Poesia Brasileira*. Rio de Janeiro, Tipografia Francesa, 1841.

SNYDER, Edward Douglas. *The Celtic Revival in English Literature: 1760-1800*. Cambridge, Massachusetts, Harvard University Press, 1923.

SOUSA, M. Leonor Machado de. *A Literatura Negra ou de Terror em Portugal (Séculos XVIII e XIX)*. Lisboa, Novaera, 1978.

SOUZA, Alcinda Pinheiro de. *Poética Romântica Inglesa*. Lisboa, Apaginastantas, 1985.

STAËL, Mme de. *De l' Allemagne*. Paris, Flamarion, 1968.

STAIGER, Emil. *Conceitos Fundamentais da Poética*. Tradução de Celeste Galeão. Rio de Janeiro, Tempo Brasileiro, 1974.

SUSSEKIND, Flora. *O Brasil Não É Longe Daqui*. São Paulo, Companhia das Letras, 1990.

SYPHER, Wylie. "O Pitoresco, o Romantismo e o Simbolismo". *Do Rococó ao Cubismo na Arte e na Literatura*. Tradução de Maria Helena Pires Martins. São Paulo, Perspectiva, 1980.

TIEGHEM, Paul Van. *Le Romantisme dans la Littérature Europeènne*. Paris, Albin Michel, 1969.

THIESSE, Anne-Marie. *A Criação das Identidades Nacionais*. Lisboa, Tilgráfica Sociedade Gráfica AS, 2000.

TORTI, F. *Le Bellezze Poetiche d'Ossian*. Foligno, Tipografia Tommasini, 1825.

TURCHI, Marcello. *Le Poesie Ugo Foscolo*. Milano, Garzanti, 1995.

VAUGAHN, William. *Romanticism and Art*. Londres, Thames and Hudson Ltda, 1994.

VERÍSSIMO, José. *História da Literatura Brasileira: de Bento Teixeira (1601) a Machado de Assis* (1908). 4ª ed. Brasília, UNB, 1963.

WEISKEL, Thomas. *O Sublime Romântico: Estudos sobre a Estrutura e Psicologia da Transcendência*. Tradução de Patrícia Flores da Cunha. Rio de Janeiro, Imago, 1994.

WELLEK, René. "Conceito de Romantismo em História Literária" e "Reexame do Romantismo". *Conceitos de Crítica*. Tradução de Oscar Mendes. São Paulo, Cultrix, [s.d.].

_____. *História da Crítica Moderna*. São Paulo, Cultrix [s.d.].

WOLF, Ferdinand. *O Brasil Literário*. Tradução de Jamil Almansur Haddad. São Paulo, Companhia Editora Nacional, 1955.

WORDSWORTH, W. "Preface to *Lyrical Ballads*". *Poetry & Prose*. New York, Oxford University Press, 1960.

______. *Poetical Works*. Londres, Oxford University Press, 1988.

WORTON, Michael e STILL, Judith. *Intertextuality: Theories and Practices*. Manchester, Manchester University Press, 1990.

ZANELLI, G. "I Poemi di Ossian e Melchiorre Cesarotti". *Paralleli Letterari*. Verona, 1885, pp. 143-173.

ZILBERMAN, Regina e MOREIRA, Maria Eunice. *O Berço do Cânone*. Porto Alegre, Mercado Aberto, 1998.

ZUMTHOR, Paul. "Intertextualité et Mouvence". *Littérature* nº 41, 1981.

Obras de Referência, Dicionários e Enciclopédias

BLAKE, Augusto V. A. Sacramento. *Dicionário Bibliográfico Brasileiro*. Rio de Janeiro, Tipografia Nacional, 1902.

BRUNEL, Pierre (org.). *Dicionário de Mitos Literários*. Brasília/Rio de Janeiro, UNB/José Olympio, 1997.

BUESCU, Helena Carvalhão. *Dicionário do Romantismo Literário Português*. Lisboa, Caminho [s.d.].

CLAUDON, Francis. *Enciclopédia do Romantismo*. Lisboa, Verbo [s.d.].

CORTES, Antônio Maria Cardozo. *Homens e Instituições do Rio*. Rio de Janeiro, IBGE, 1957.

FONSECA, Manuel José Gondim da. *Biografia do Jornalismo Carioca: 1808-1908*. Rio de Janeiro, Quaresma, 1941.

FROTA, Guilherme de Andrea. *O Rio de Janeiro na Imprensa Periódica*. Rio de Janeiro, [s. ed.], 1966.

MOISÉS, Massaud. *Dicionário de Termos Literários*. 2ª ed. São Paulo, Cultrix, 1978.

SILVA, Innocêncio Francisco. *Diccionário Bibliográfico Português*. Lisboa, Imprensa Nacional, 1858.

SILVA, Antônio de Moraes. *Dicionários da Língua Portuguesa*. Lisboa, Literatura Fluminense, 1889.

SILVA, Fabiana Santos de Oliveira. *Imprensa Brasileira no Império*. Brasília, UNB, 1994.

Arquivos Consultados

Academia Brasileira de Letras. Biblioteca Lúcio de Mendonça. Rio de Janeiro.

Arquivo Edgar Leuenroth. IFCH, Unicamp, Campinas.

Biblioteca Nacional do Rio de Janeiro.

Biblioteca Central: Arquivos Alexandre Eulálio e Sérgio Buarque de Holanda. Unicamp, Campinas.

Instituto Histórico e Geográfico Brasileiro (IHGB), Rio de Janeiro.

Real Gabinete Português de Leitura. Rio de Janeiro.

Título *A Nebulosa*
Autor Joaquim Manuel de Macedo
Apresentação Ângela Maria Gonçalves da Costa
Estabelecimento de Texto e Notas Ângela Maria Gonçalves da Costa
José de Paula Ramos Jr.
Editor Plinio Martins Filho
Produção Editorial Aline Sato
Ilustrações da Capa e Miolo Kaio Romero
Revisão Ateliê Editorial
Editoração Eletrônica Camyle Cosentino
Formato 12 × 18 cm
Tipologia Minion
Papel do Miolo Chambril Avena 70 g/m^2
Papel da Capa Cartão Supremo 250 g/m^2
Número de Páginas 264
Impressão e Acabamento Rettec